KB016989

흑막 용을 키우게 되었다

I raise a black dragon

1

글·그림 ※ 소탄

원작 ※ 달슬

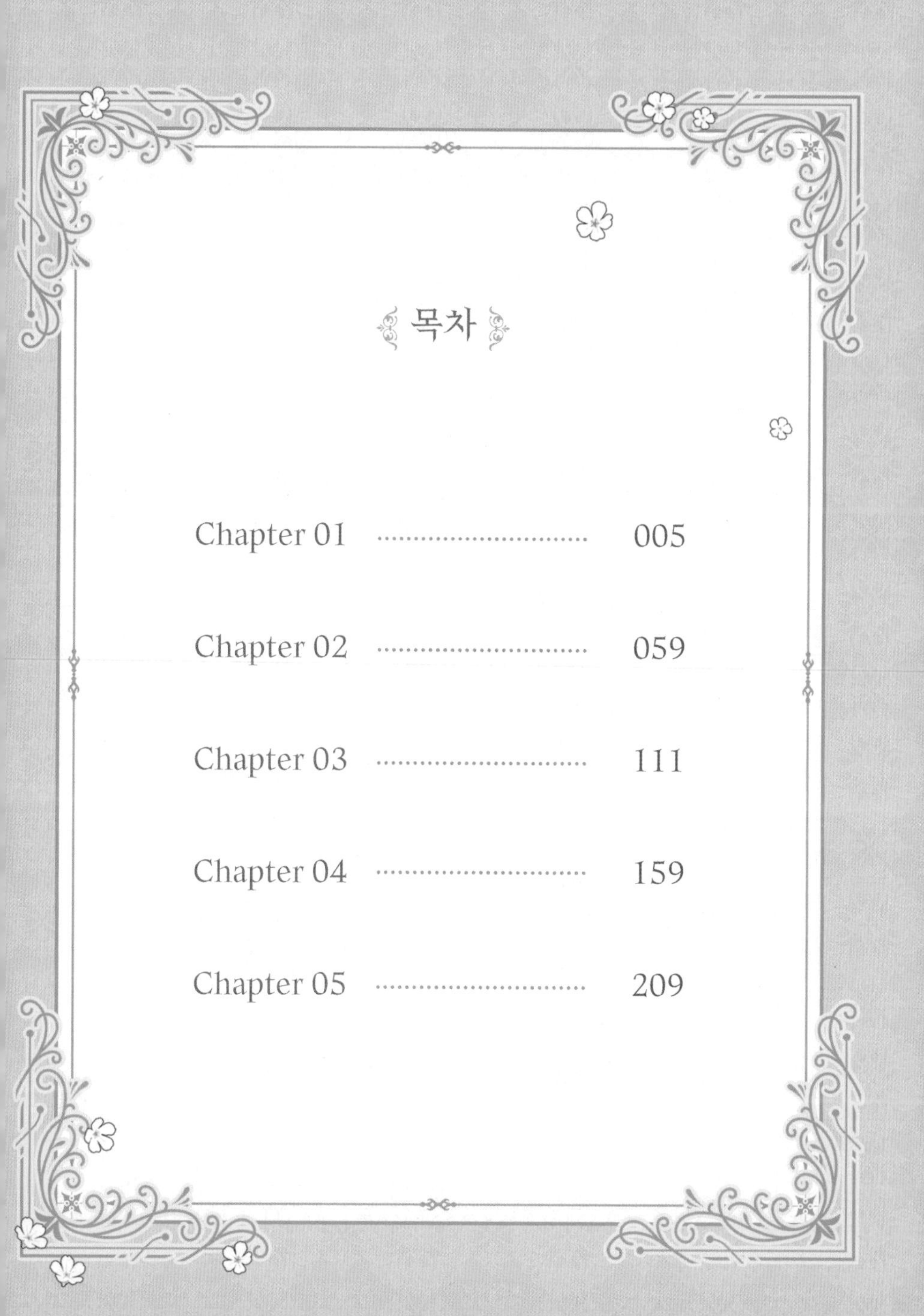

목차

Chapter 01 005

Chapter 02 059

Chapter 03 111

Chapter 04 159

Chapter 05 209

Chapter 01

빼이이이이이—

푸쉬이이이이

엘레오노라 아실
남작…

후…
탁
또
이 여자인가….

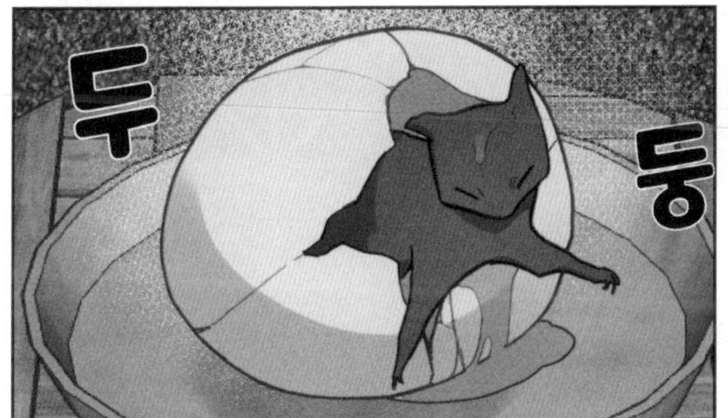
두
둥

꿈틀
꿈틀
툭
툭

쫘-
악

아, 이거.
삐오?
용. 그래,
용이다.

까마득히 먼 옛날
잠시 나타났다가
현재는 백과사전
맨 뒷장을
장식하고 있다는
전설 속의 존재.
프라이 해
먹으려던
알에서
새끼 용이
나올 줄은
……
삐약
삐약
꿈에도
몰랐는데….
나는 빙의자다.
용두사미라고
악평이 자자한
로맨스 판타지 소설에
빙의했다.

빙의하고 싶어서
빙의하려던 건 아니고
과로사로 죽었는데
눈 떠보니
원혼인 상태로
별세계를
떠돌고 있었고
마침 죽어
나자빠진 시체가
뒹굴고 있길래
그 몸을
차지했을 뿐이다.
상처 하나 없이
깨끗한데 이게
죽은 사람이라니…
시체보다는
인형 같다.

내가 빙의한 캐릭터는
'엘레오노라 아실'.

세계관 최강자
자리를 넘볼 만한
강력하고 사악한 악역.

그렇게나 강력하지만
주인공들에게
너무나도 쉽게
처단당하는…;;

안타깝게도
이 세계와
내가 차지한 몸의
정체에 대해 안 건
내가
엘레오노라 몸에
빙의했다는 걸
아는 사람도
없으니
몇 년이 지나면
주인공들한테
처단당한다는
뜻이잖아—!!
엉엉
나가게 해줘~!!!
내가 이 육체와
완벽하게 동화된
이후였다.

…그래서
시골로 도망쳤다.
이번엔
과로사로 죽는
비참한 인생은
살지 않으리.
이 깡시골
소렌트에서,
아주
조용하게
놀고먹으며
사는 거야!

하아…
두리번
두리번

삐오오
이 용,
분명해…
삐오오

소설 속
여주인공이
부리는
애완 용이야…!!
하하하하
엔딩에서
나를 통구이로
만들 예정인!!!

원래는
여주 레니아가
용의 알을 줍고
새끼 용과
각인해야 하는데….
어쩌다 번지수를
잘못 찾아왔니,
꼬마야….

샤라랑

주인 잃은 미아는
주인에게
돌려줘야겠지.

난 이거랑
엮이기 싫어!!!
수도로
보내주세요.
삐유웅…
?
무슨 소리가….
잘못 들으신
겁니다.

휴,
이건 아주 작은
해프닝일 뿐!
내 유유자적
휴식 라이프는
아직 건재해!

다음 날.

두
둥
뀨우!

…꿈인가?

부비
부비

오~

좋아, 다시
자러 간다.
꾸우욱

콰아악...
부들
부들

불안...

파아아악-
빠드득

파아아악-
빠드드득

파아아악-
빠드드득

휴전, 휴전!
팟
데구르르르
까딱
샤아아아아아

휘리
!
릭

삐요오오
삐요오오
훗
나의 승리다….

바들
엘레오노라가 일기에 기록해둔 마법 발명품들이
바들

바들…
바들…
꼬아아악
이럴 때 도움이 되는군….

탈푸닥…

……

울먹…
히끅….

에휴
이 조그만
애를 데리고 지금
뭘 하는 거야….
추하다…
둥개
둥개

그만 울어,
아가야.
슥슥

헤-
으윽….

아가야, 혹시
오배송된 거니?

물건이 무사히
도착했다는
배송 안내도 받았고,
케이지에
자물쇠도
잘 채워뒀었는데….

…….
뀨우?

쓰담
걱정 마.
쓰담
♥
내가 꼭 네
운명의 엄마한테
돌려보내 줄게.

프리미엄으로
해주세요.
안전하게,
정확하게,
레니아 발테이어
백작 영애
앞으로!
헉헉
훌쩍
훌쩍

삐오오오!!
삐오오오!!!
다 널
위해서야!!
아가야!!
조금만 참아!!

다음 날.

삐오오!

왜…
갸웃
바들
바들
바들
왜 자꾸…

왜 자꾸
돌아오는 건데—!!!

용은 부화기에
이르렀을 때,
자신과 접촉한
인간과 애착 관계를
형성하기 시작한다.
그리고 그중 마음에
드는 인간을 찾아
'각인'이라는 것을 한다.
각인은 이계의 존재인
용이 이 땅에 제대로
존재하기 위한
필수적인 과정이다.
인간과 각인한 용은
인간화 할 수 있게 된다.
분명
원작에서 그렇게
읽었었는데….

아장
부~
아장
부!

야… 야.
설마 네 멋대로
나랑 각인을
해버린 건
아니겠지?
너무 빨리
자랐잖아!!
?

부-!
하아….

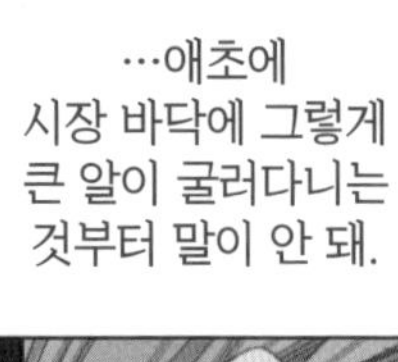
…애초에
시장 바닥에 그렇게
큰 알이 굴러다니는
것부터 말이 안 돼.
그 알이 용의 알인
것도 더더욱 말이
안 되고.
누가
잃어버린 건가?
하지만
황실에서 관리하는
귀중한 용의 알을
잃어버린다고?
이런 시골에서?
아니면 누가
일부러 내가 자주
다니는 길목에
용의 알을…?

나는 여기에 아는 사람이 없지만
'마녀 엘레오노라'를 아는 사람은 많을 테니까….
음…

얘, 누가 널 소렌트에 버리고 간 건지 기억하니?
갸웃
아부우?

그래, 네가 알 속에 있었다는 건 알아.
그래도 너 용이잖아.
껍데기 밖에서 무슨 수상한 소리가 들렸다거나, 그런 거 없었어?

생글
?
생글
하아….

원작에서는
황성을 방문했던
여주인공 레니아가
실수로 알을 떨어트려
깨버린다.
용은 그대로
레니아와
각인했고,
용의 주인인 레니아는
용의 힘을 노리는
악의 세력,
엘레오노라에게
쫓기게 된다.

그 과정에서
남자 주인공과 동맹을
맺게 됐었지.

물론 나는
원작에 끼어들고
싶은 마음이
추호도 없다.
쭙
쭙
용의 알이
없어져서 황실도
난리일 거야.
빨리 애를 원래
주인의 곁으로
돌려보내야지.

쭙
쭙
야, 용.
이름을 지어주지 않으면 각인이 완료되지 않는 거, 맞지?

난 널 버리려는 게 아니야.
원래 엄마한테 데려다주려는 거란다.
둥기
둥기
꾸벅
꾸벅
토닥
토닥

스르르...

피식
…자는 모습은 천사 같네.

주섬
주섬

끼이익
너도 나처럼
게으르고 무기력한
사람이랑 사는 것보단
여주랑
같이 사는 게
더 행복할 거야.

소렌트 치안대.

뚜벅
뚜벅
뚜벅
뚜벅

끼익
퍼뜩

테제바에서 온
수사관입니다.
슥슥
테, 테제바?

테제바의
뉘십니까?
어디
소속이시죠?

에이제트에서
왔습니다.
수사 보안국
총괄 대장입니다.

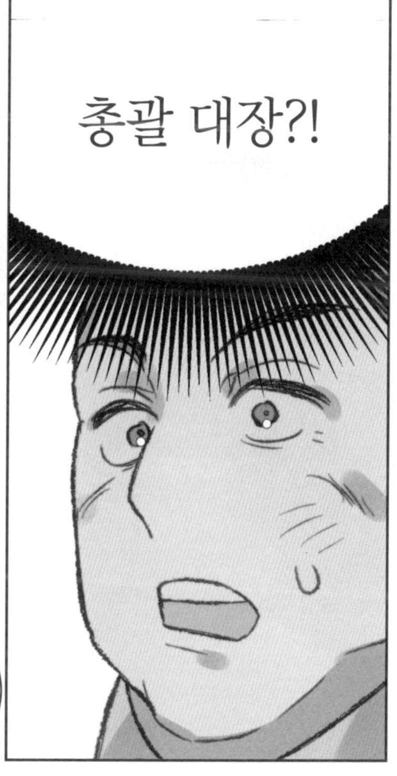
총괄 대장?!

흔치 않은 보라색 눈동자에
아시다시피 '그 사건' 때문에 왔습니다.
옷깃에 달린 황금 브로치,

소렌트에 주목할 만한 사건은 없었습니까?
반짝
엘레오노라 아실 남작에 관한 사건 일지를 열람하고 싶습니다만.
그리고 저 리볼버는…

진짜 총괄 대장, 카일 레너드잖아?!
아, 아실 남작께서는 별문제를 일으킨 일이 없으십니다.

시내로 잘 나오지도 않으시는데요.
하하
소렌트는 늘 평온하답니다.

너저분-

…….
알겠습니다.
후…

끼익
드,
들어가십시오!

…청소 좀
하십시오.
업무 시간에
졸지 마시고요.

예, 옙!
그럼.

뚜벅
뚜벅
직접
그 여자를 찾아가
봐야겠군.

저건…

아실 남작?

아이?

무슨 얘길
하는 거지?

!

끄덕
끄덕

슥…

대체….

얘,

이 아저씨 따라서
수도에 가면,
너를 맞아줄 사람이
기다리고 있을 거야.

수도?

두웅

어머~
예쁘기도 해라.

아저씨랑 같이
가자꾸나~

깜빡

히익

팟

착

투다다다다

어마맛

얘—!
어디 가니—!

그분은
나를 좋아하지
않나 봐.
훌쩍
훌쩍
다섯 번이나
버리시다니,
너무해.
미워….
훌쩍
뚜벅
훌쩍

꼬마야.
길을 잃었니?

누…
누구?
아니면,
엄마를
잃어버린 건가?

쿵쿵쿵

쿵쿵
네, 나가요~

누구지?

두
둥
으아악!

쾅!!
야, 너 또 돌아왔냐!!!

말을 듣지를 않아요, 도대체….
누…

누구세요?
울망…
울망…

부들
흐어엉…
부들

어?
어라?
흐어어엉…
울지 마…!
아이를 버린 게 당신입니까?

예?
아이를 버린 게 당신이냐고 물었습니다.

검은 머리에 보라색 눈동자,
그리고 저 브로치는…

…카일 레너드?
기억해주시니 영광입니다만, 아실 남작.
질문에 대답해 주십시오.
아이를 버리셨는지 물었습니다.

카일 레너드.
이 소설 속의 남자주인공.
내가 기억하기로는 레너드 공작가의 차남이며
로랑 황성의 수사 보안과 소속의 고위급 공무원이자
수도 테제바의 지부장이자 로랑 전 지구 총괄 대장직을 맡고 있는 남자.

천재 수사관,
최연소 총괄 대장 등
사기적인 스펙도
스펙이지만
뭐니 뭐니 해도
그의 특기는…
무기를 버리고
투항해라!
카일
레너드다!
뒷문을
조심해!

탕

사격이었다.

마녀 엘레오노라가
로랑의 대부분의
범죄와 연관되어 있던
덕분에
이 남자와
서로 지독하게
증오하는 사이였고

내가 시골로
내려온 것도
절반쯤은
이 남자의 눈에 띄기
싫어서였는데…

지금
내 앞에 나타나
버리다니!

전 원래 보호자에게
돌려보내려고
한 것뿐이에요….
버, 버리려고
한 게 아니에요!

……?
…….
하지만 아이는
그렇게 말하지
않던데요.

네?
저
버리지 마세요!

이제
우유도 안 먹고,
안 귀찮게 하고,
또, 또…
훌쩍
훌쩍
저
버리지 마세요….

이젠
말도 하잖아?!

어제까지만 해도
옹알이를
했는데?!
훌쩍
훌쩍

보호자가
아니라면,
남작께서는
이 아이와
어떤 관계입니까?
아무 사이도
아니에요,
맹세코!

쿠 궁…
주인님….

'주인님?'
쿠웅

얘가 지금 무슨 말을 하는 거야.
그러니까 레너드 경, 이 애는 일단 제 애가 아니고요.
훌쩍
훌쩍
저도 엿새 전에 얘를 처음 봤는데,

아무리 돌려보내려 해도 도통 돌아갈 생각을 안 해서….
슥슥
아동 유기.

아, 아동 유기요?
오, 오해예요. 오해!

아동 학대도 의심되는군요.
아이를 버린 걸로도 모자라
세 살짜리 아이더러 주인님이라고 부르게 하다니.

상식 밖의 일이 아닐 수 없습니다.
제가 시킨 거 아니에요!
푸줏간의 발터 아저씨는 믿을 만한 분이고…

남작께서 아이를 건네자마자 그 푸줏간 주인은 기다렸다는 듯 수도로 떠나더군요.
아이를 데리고 뭘 하려고 한 겁니까?

그건, 수도에 이 아이의 보호자가 있어서….

증명하실 수 있습니까?

그, 그건…

…….
진술서를 써주셔야겠습니다, 남작.

지, 진술서?
더하여, 남작께서는 현재 로랑에서 발생한 '리자베르제뉴어의 알 실종 사건'의 용의선상에 올라 있음을 알려드립니다.
협조 부탁드립니다.

그리고 남작께서는 이미 전과가 충분하신 바,
로랑 황제 폐하의 허가를 받아 영장을 우선적으로 발급하였음을 역시 알려드립니다.
네에?!

안 돼, 완전히
알 도둑으로
몰렸잖아?!
도둑은
커녕 나는
일을 바로잡으려
했던 건데….
일단 서로
동행을 요청…
자, 잠깐!
덥
썩
일단 들어와서
제 얘기를 좀…!
놓으십시오.
이렇게 나오시면
저도—
두리번
두리번

!
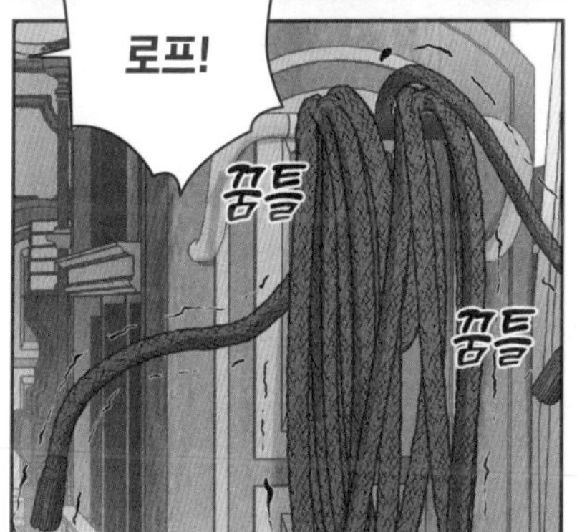
로프!
꿈틀
꿈틀
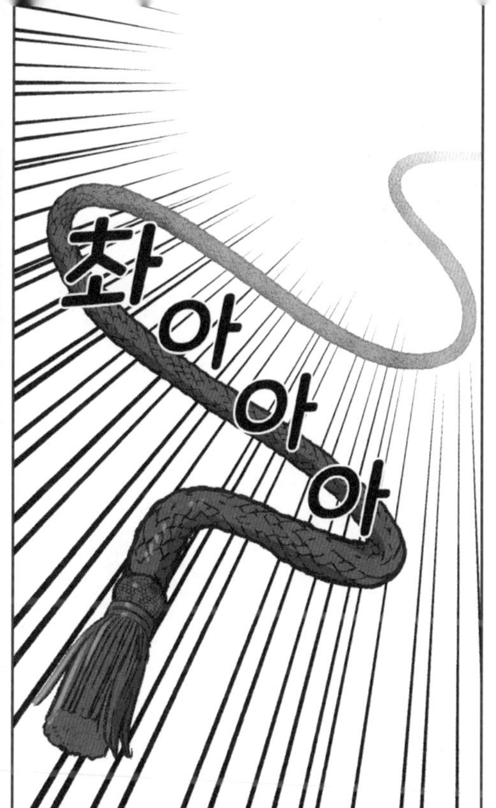
촤아아아

!
차라라락

부웅
어라?

꽈
?!
악

어라,
으,
으,
기우뚱

으아악!
우당탕탕탕…

으, 으으…

아이고 두야⋯.
스윽
?

⋯⋯.

⋯히끅.

Chapter 02

아실 남작,
당장 비키십시오.

핑-
죄, 죄송….
으… 머리야.

당신을 상대할 때는 항상 무장하고 있어야 한다는 걸 잊었습니다.
남작께서는 도무지 반성이라는 것을 할 줄 모르시는군요.
스윽
…….

…남작?
…….

괜찮으십니까?
주춤…
주르륵

저혈압이라서요.
비틀…

허리도 예전 같지 않고 ….
다른 사람이랑 치고받고 할 기력도 없고….

무슨 말씀이 하고 싶으신 겁니까?

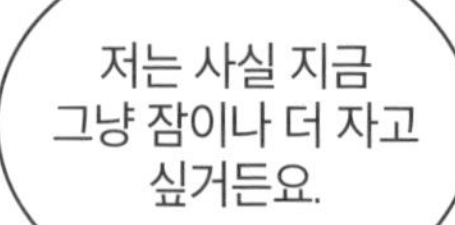
저는 사실 지금 그냥 잠이나 더 자고 싶거든요.

그러니까
제 말은…
딱

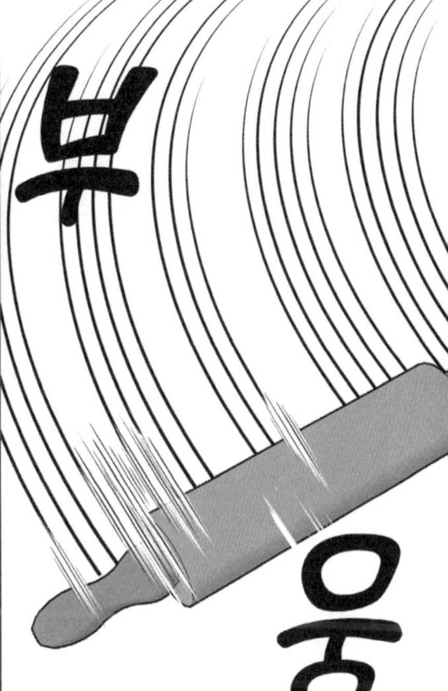
부
웅

빠
악

움찔
움찔
…….

제 영역에 그런
무서운 물건은
허락하지 않는다는
말이에요,
비틀

레너드 경.
털썩...

스윽

한 번 기절했다고
주, 죽진 않겠지?
때릴 의도는
아니었는데…;;
딴 거 하려고 했는데
실수해버렸다구

주인님…
괜찮아요?

아기야,
혹시나 해서
하는 말인데
너 저 아저씨
앞에서는
절대 본체로
돌아가면 안 된다?
네에.

그리고 이제부터
날 주인님이라고
부르는 건 금지야!

그치만
주인님 맞는데….
난 네 주인이
아니야!

내가 어떻게
아이를
키우겠어?
난 부모 노릇
할 줄도
모르는데.
소설 속
내용과도 엮이고
싶지 않고….

난
지쳤고 그냥
쉬고 싶다구…
그냥 혼자서
계속 쉬고 싶단
말이야….

꼼지락…
꼼지락…
저 여기에
있으면 안 될까요?

제가… 제가

제가 주인님을
지켜드릴게요!

뭐??
누가 누굴 지켜?

주인님은
저 인간 때문에
곤란한 거죠?
화르륵
저,
잘할 수 있어요.

주인님이
원하신다면
당장 저런 인간
하나쯤은…
안 돼!

그럼 절 또
내쫓으실
건가요?
우우…
야, 야.
울지 마….
겉모습은
귀여워 보이지만
얘도 용이었지.

심지어 소설 속에선
이 몸의 주인인
엘레오노라를 통구이로
만들어 죽여버렸고…
오소소소-
?

얠 밖에 내보냈다간
살인나겠다….
미리 교육에
신경 써두어야겠어.
안 버려.
그리고 생명을
함부로 죽이는 거
아니야!

아니에요?
그래. 살아 있는
생명을 함부로
죽이지 않는다,
따라 해!

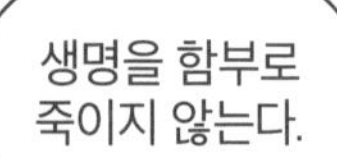
생명을 함부로 죽이지 않는다.

그래그래, 잘했어.

이유 없이 타인을 아프게 해서도 안 되고, 거짓말을 해서도 안 되고
도둑질해서도 안 돼.
아무리 그러고 싶어도 참아야 하고,
헷갈리면 꼭 먼저 나한테 허락받고 해!

아까 그 아저씨에게 네가 용이란 걸 들키지 않으면, 너랑 같이 있어줄게.
들키지 않는 게 조건이야. 어때?

같이 있을 수 있어요?
그래.

할래요!
포
옥
그래그래.

파아앗
내 이름은 노아야.
노아라고 불러.
주인님이라고
하지 말고.

이름 알려줬다고
각인하겠다는 건
아니야!
당분간만
같이 있는 거야.
너도 그동안
나를 잘 보고,
각인해도 괜찮을지
생각해봐.

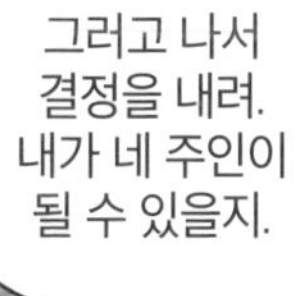

그러고 나서
결정을 내려.
내가 네 주인이
될 수 있을지.
알겠니?
하지만….

더 이상의 반박은
허용하지 않겠다.
웃차
그리고 너 같은
어린아이는
이런 꼭두새벽에
깨어 있는 거 아니야.
얼른 눈 감아.
이 노아 님이
지금 굉장히
피곤하시다.

안 잘 거면
저 아저씨
감시라도 좀
해주든지….

쿨…

슥삭
슥삭
슥삭

툭

스르륵

뚜벅

후….

두리번
우선 내 물건을
되찾아야겠군.
두리번

엘레오노라 아실의
집 치고는
너무 소박하고

너저분하달까….

화려하고 넓은
수도의 저택과는
천지 차이군.
아실 남작이
이런 시골에서
검소한 생활을 한다니.
대체 무슨
심경의 변화가….
끼익
반짝. . .

외면이 아름다운 만큼
옳은 일을 하며
살아가면 좋으련만….

거기까지 해요.

……?
약간 자란
것 같은데….

노아를 건드리면
저도 가만있지
않을 거예요.
목소리도
어제보다 또렷하고,
발음도 좋아졌어.

너, 이름이 뭐지?
아직 없어요.
노아가 아직
이름을 주지
않았어요.

이름을
'주지' 않았다니?

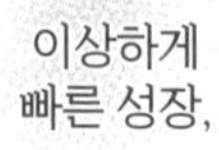

주인님이라는
괴상한 호칭,

이름 없는 아이…

이렇게
먹이는 거 맞나?
먹여본 적이
있어야 알지….
감기 걸리겠다.
따뜻하게 하고
자야지!

저는 아저씨한테 정체를 말해줄 수 없는데,
아저씨는 이미 알고 계신 것 같네요.

방해가 되는 존재는 죽여서 없애면 그만이지만….
이유 없이 타인을 아프게 해서도 안 되고, 거짓말을 해서도 안 되고
도둑질해서도 안 돼.
아무리 그러고 싶어도 참아야 하고,
헷갈리면 꼭 먼저 나한테 허락받고 해!
…….

아저씨, 저랑 거래 안 할래요?

노아가 저를 못 버리게 해주세요.
그러면 아저씨를 죽이지 않고, 방해도 안 할게요.

그리고 사건의 진상을
파헤치기 위해서는…

그 거래, 하자.

거의 하루를
잤잖아?

요 며칠 왜 이렇게
속이 울렁거리고
머리가 아프지….
새근
새근
중얼…
노아….

좀 더 잘까….
…….
맞다, 남주!
쿵쿵
쿵쿵

오래도
주무시는군요,
남작.
밧줄은 어떻게
푼 거지?
잠이 깨셨으면
앉아서 제대로
이야기를 해보죠.

너저분-
…청소를 좀
하셔야겠군요.
예예.
언젠가는 하겠죠…
청소.

…….
남작께서는
진술서를
써주시면 됩니다.

저 아이 유기
사건에 대한 것
한 장.
그리고
리자베르제뉴어의
알 실종 사건에
대한 것 한 장.
총
두 장입니다.
저는 그 어쩌구 알
실종 사건과는
관련이 없어요.

…남작께서는 늘 그렇게 말씀하시지요.
슥
얌전히 서로 동행해주실 생각이 없다는 것은 잘 알겠습니다.

남작께서 따라오지 않으신다면…
제가 붙어 있는 수밖에 없겠습니다.
네?

저는 황제 폐하의 명으로 알 실종 사건의 유력 용의자인 당신을 찾아 여기까지 왔습니다.
밀착 마크해도 된다는 허가서와 영장을 발급받았지요.

제,
제 의사는요?
2년 전에 남작께서 제출하셨던 자필 반성문 및 각서를 기억하시겠지요.

수사에 협조를 거부할 시, 보유 자산 전부를 사회에 환원하며
남작 본인은 평생을 사회봉사에 매진하시겠다고 쓰셨잖습니까.

그렇지요, 전과 15범의 엘레오노라 아실 남작님.
…….

그럼 일단
청소부터 하죠.
네?
?

이건 불법적인
마법 물품이군요.
압수입니다.
네에?

이건 대체
얼마나 오랫동안
박혀 있던 겁니까?
구리
구리
그건 나중에
필요할 것
같아서…
안 됩니다.
다 버리십시오.

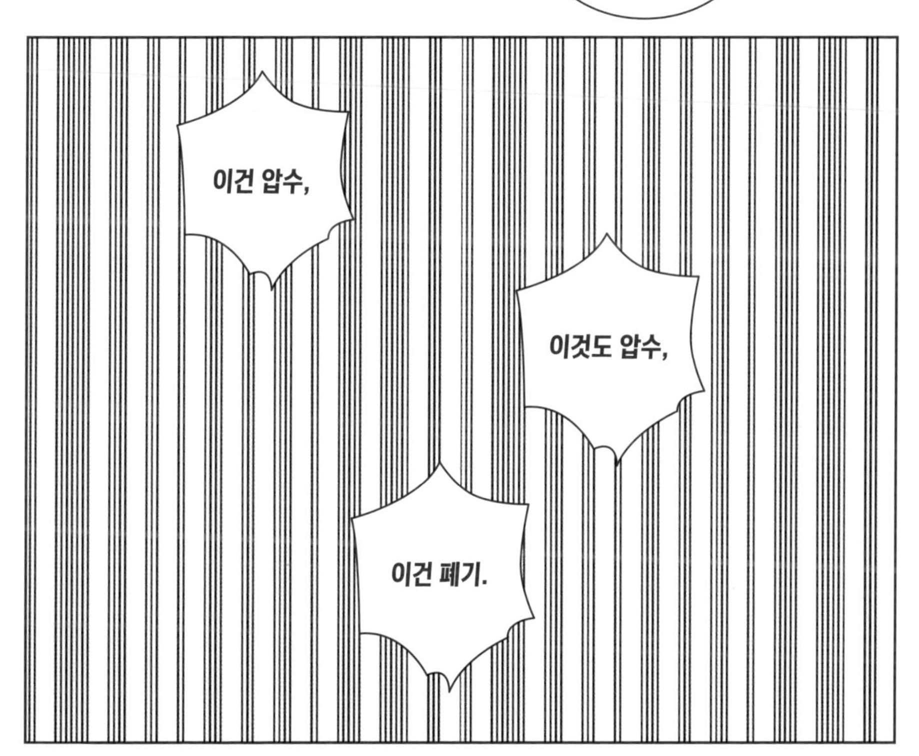
이건 압수,
이것도 압수,
이건 폐기.

…….
읏차
슥삭
슥삭 슥삭
콜록
콜록
뭉게
뭉게
킬킬
킬
콜록
콜록
킬킬
콜록
뱅
남작은
나가 계십시오.

샤라랑-
우
와

착잡…
저기,
고생하셨어요.
감사합니다.
…수사의
일환이었을
뿐입니다.

저도 아저씨
도와줬어요!
쓰담
쓰담
고마워,
덕분에 집이
깨끗해졌네.

이제
어지르지 마시고,
좀 치우면서
사십시오.
어질…
네, 네….
어라?

적어도
제가 올 때는…
비틀…
…?

남작,
괜찮으십니까?
앞이 안 보여….
주인님,
괜찮아요?

거 진짜…

주인님이라고
부르지 말라니까….

시키는 일만 해가지고는
안 되는 세상이야!
시키는 일만
기계적으로
하는 게 아니라,
본인이 뭔가, 어?
진취적으로 할 일을
만들어서 해야지!

요즘에는
열심히만 하면,
언젠가는 눈에
다 띄게 되어 있어!
내가 열심히 하면,
열심히만 하면!
이 프로젝트만
성공적으로
마무리하면
분명히….
HOTS

내가 잘하면 돼.
남들도 분명히
알아줄 거야
지금은
아니어도
언젠가는…
노아 씨,
시간 남네요?
이것도
부탁해요.
네!

분명히 나도….
타닥…
알아주는 사람은
아무도 없었다.
타다닥…

원래도
무기력했지만
이렇게
쓰러지다니…
부스스
예전에
회사 다니다가
쓰러졌을 때랑
비슷하네….

흐어어엉!
도도도도도
화
악

콱

아픈 사람에게
그렇게 안기는 거
아니다, 꼬마야.

정신이
드셨습니까?
저…
지금 병균 취급
당한 건가요?

어린아이잖습니까.

잠시 실례해도
되겠습니까?
왜, 왜요?
싫어요.

해칠 의도였으면
진작 했을 겁니다.
열을 재보려고
그럽니다.

열이요?
슥…

!

슥
미열이 있군요.
그래요?
감기에 걸렸나….

하지만
이 정도 열로
기절하는 경우는
흔하지 않은데….

꼬옥…

부담…
?

……?

언제부터 이렇게
허약했습니까?
별로 약한 체질은
아니었는데….
엘레오노라의 몸은
아주 튼튼하고
건강한 편이었고….

혹시 최근에 마력을
과하게 사용하신
일이 있습니까?
전혀요.
쓰는 방법도
모르는걸.

…이상하군요.
힐끔

일단 저 아이를
끌어안고 자는 건
삼가셔야겠습니다,
남작.
?

왜요?
남작의
말마따나 지금
'병균' 상태이시지
않습니까.
아이에게
옮기라도 하면
큰일입니다.

주인님…
같이 못 자요…?
주인님 아니고
노아라니까.

화
노아…!
악

콱

더 주무십시오.
떠나기 전에
깨워드리겠습니다.

용은
감기에 안 걸릴 것
같은데….

짹
짹

오늘도 아주 자유분방한 모습이시군요.

저혈압이 있어서 그렇다니깐요.
저혈압이 문제가 아니라,

지금
안고 계시는 게
문제입니다.

이 아이와 함께
주무시지 말라고
말씀드렸습니다,
남작.
뺏음.

혼자 자는 걸
보니까
안쓰러워서요.
후아암

그런데 레너드 경,
굉장히 자연스럽게
들어오시네요?
수사에 협조하기로
하지 않으셨습니까?
네에, 네에.

반듯…

와….

경, 그렇게 깐깐하게 살다간 젊은 나이에 과로사해요.
저주입니까?
동정인데요.

빠직
똑똑
?

아,
들어오십시오.

의사를
불렀습니다.
안녕하세요?

끼익

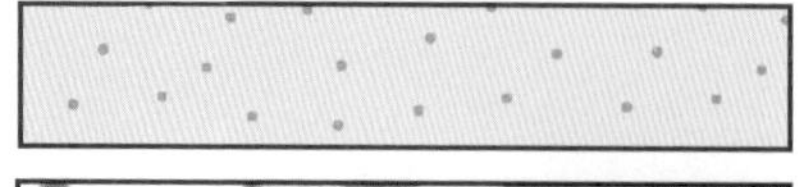

음, 영양 상태가
안 좋네요.
주로 식사를
어떻게 하시나요?

빵이나 쿠키…
가끔 계란도
먹고요.
고기나 해산물,
채소는 전혀
안 드시고요?

고기는 가끔
발터 아저씨가
챙겨다 주시는데,
해산물이나 채소는
집에서 먹기엔 좀…
양도 많고, 잘 상하고…
아하.
한 끼 제대로
해 먹으려면 차리고,
치우는 것도
너무 큰 일이고….

그렇다면
환자분 증상의
가장 근본적인 원인은
바로 **게으름**이군요.
한심…

그리고
체내의 마력이
굉장히 꼬여 있는
듯합니다만….
잠깐
실례합니다.
슥

아무리 순수 마법이
역사의 뒤안길로
사라지는 시대라지만,
여전히 체내에
마력이 흐르는 채로
태어나는 사람들이
있지요.
환자분처럼요.

물론 대부분
극소량이긴 하지만,
그렇다고 무시해서는
안 됩니다.
자연에서 기원한
불가사의한 힘이니만큼
흐름이 조금이라도
틀어지면 곧바로 신체에
손상을 입히니까요.
환자분의 경우에는,
몸 전체로
순환해야 할 마력이
자꾸 어딘가로
새어 나가고 있습니다.
안 좋은 생활 습관 때문에
증상이 더 극단적으로
나타나는 것 같네요.
그렇군요….

아내분이 생활 습관을 개선할 수 있도록 남편분이 도움을 많이 주셔야겠네요.
^^
네?

기본적인 체력이 개선되면 마력이 새어 나가는 걸 막을 수 있을 겁니다.
그런데 무엇 때문에 이렇게 마력이 줄줄 뽑혀 나가는지,
그 근본적인 원인은 저로서도 아직 모르겠군요. 우선 약을 처방해드릴 테니….

어이구. 그러고 보니, 요 녀석이 엄마의 마력을 몽땅 빨아먹었구나.
?

아이가 가진 마력이 환자분의 마력과 굉장히 흡사하네요.
네?

아이가
범상치 않은 힘을
타고났나 봅니다.
보통
마법사의 자질을
가진 아이들이
어머니의 체내에 있는
마력을 저도 모르게
흡수하곤 하지요.

휙
?

어쩐지…
하루가 다르게
커 간다 했더니.
이 녀석,

…?
제가 뭐
잘못했어요?
너구나,
내 마력을
훔쳐간 게!

Chapter 03

그럼 이만
가보겠습니다.
무슨 일이
또 생기면
부르시고요.

저 애가
용이라는 걸
눈치챈 건
아니겠지…?
슬금…
저, 저는 좀
피곤해서
잠깐 낮잠을
좀….
남작.

잠깐 이리로 와
앉으십시오.

히이익

아침 식사는 하셨습니까.
아침은 원래 잘 안 먹어요.

아실 남작의 마력 문제는 용과 각인을 하면 끝날 일이다.
정상적으로 각인한다면 용의 마력이 남작에게 스며들 테니…
하지만, 이 여자가 각인하게 둘 수는 없다.

아실 남작은 본래 야망이 있는 성격에,
사회의 규율이나 도덕 따윈 아는 체도 안 하는 인품을 지녔다.
그런 남작이 초월적 존재인 용의 힘을 얻어버린다면?

대재앙이
되겠군.
당분간 마법은
쓰지 마십시오.
대부분의 마법사가
그렇듯이,
당신도 자연의 마력을
끌어다 사용하신다는
것은 알지만….

남작께서 제 말을
귓등으로라도
들으실지는
모르겠지만요.
걱정 마세요.
두 귀로 잘
듣고 있답니다.
그것 참
다행이군요….

정말 걱정
안 하셔도 돼요.
…그렇다면
남은 문제는
하나군요.

이 아이는
정체가 뭡니까?

드디어 올 것이
왔구나….
세 살짜리
꼬마죠…
하늘에서
뚝 떨어진.

하늘에서
뚝 떨어진 게
확실합니까?
이글…

이글
이글

…그래요.
그럼 하늘에서
뚝 떨어진 것으로
칩시다.
하…
??

노아 아프게
하려던 거
아니에요….
알아.
이제 어쩐다….

수도로 가서
여주 레니아를
만나볼까.
용을 잘 설득해서
레니아를 주인으로
받아들이게 하면
문제가 해결되겠지.
용한테 각인을
고민해보라고
말은 했지만,
내가 용의 주인이
되는 건….

그런 건
말도 안 돼.

결국 수도까지
가게 되는구나….
역시
그 수밖에 없나….
!!

그것만은
절대 안 됩니다!

당신이
무얼 생각하셨든
안 됩니다.
네??
우선 당장
할 수 있는 일은
한 가지뿐이군요.

당신의
체력 증강.
???

네???
마력이 빠져나가도
전—혀 문제가 되지 않도록
체력을 단련시켜 드리죠.
헛생각하지 못하게.
음. 음.
경께서 그러실
필요 없는데요…?
아니, 싫어요!!

수사의 일환입니다!

통통통통

치이익

보글
보글

꼴꼴꼴

보글
보글
보글

자, 드십시오.
아침입니다.
모락…
모락…

와
아

!!
냠...
정말 맛있네요!

뿌듯…
와구
와구

새근
새근

달그락
달그락

내가 지금 여기서 뭘 하고 있는 건지….
하아…
노아 방에서 쫓겨남.

말썽 안 부리겠다고 약속한 거 아니었나?
아저씨가 노아한테 저를 버리라고 말하려고 했잖아요….

각인하는 거 도와주기로 했으면서.
아저씨는 거짓말쟁이.

…….
아실 남작에게 집착하는 것 같군. 꽤나 일방적으로 보이는데….
애초에 그 아실 남작이 누군가에게 곁을 내어준다는 것도 믿기지 않고.
잘 들어라, 이름 없는 용.

이대로 계속 남작의 옆에 붙어 있다간 남은 마력도 네가 전부 흡수하고, 결국에는 남작이 죽을 수도 있는데.
그래도 계속 아실 남작의 곁에 있고 싶어?

……!

각인하면…
다시 좋아질 텐데….
아실 남작은 너와 각인할 생각이 없는 것 같던데?

그러니까 도와달라는 거잖아요….
내가 도와주는 것에도 한계가 있지.
본인 몸 상태가 저 지경인데도 각인하자는 말은 절대 안 하던데?

그렁
그렁

훌쩍
훌쩍

쯧…

덥
썩

노아가 저를 알에서 꺼내줬으니까….
역시 저 여자가 알을 훔친 범인인가 보군.

왜 저 여자여야 하는데? 왜 그렇게 집착하지?

다만 내가 조사한 바에 따르면,
아실 남작은 지난 2년간
소렌트에서 벗어난 적이 없다.

그렇다면 엘레오노라의
생체 정보가 등록된 황성에
어떻게 흔적 없이
출입했는가?
저자가 뛰어난
마법사라지만
알을 훔쳐
감쪽같이 달아나는 게
가능한가?

아니면…
공범이 있나?

…….

알에서 나올 때
다른 인간을
보지는 못했고?
아니면
다른 목소리를
들었다거나.
목소리…?

아실 남작과
친분이 있는 자,

남작과 협력할
이유가 있는 자,

황성의 방어 체계에
걸리지 않고 알에
접근할 수 있는 자.

…….
훌쩍
훌쩍

그자일지도
모르겠군….

아리.

왜 그렇게
꽁해 있어?

또
화가 난 거야?
음….
스윽
정말 끔찍한
악몽이었어.

기상 시간입니다.
남작.

씻으십시오.
아-
시원-하다

식사하십시오.
와아….

슥삭
슥삭

경께선 정말 깔끔하시네요.
청결은 기본 생활 수칙 중 하나입니다.
아직 청소하지 않은 2층은 얼마나 더러울지 기대되는군요.

말 참 예쁘게 하시네요.

네-
우리 꼬마, 이제 밥도 잘 먹네?

네에….
우물

뭐야,
너 울었어?
아,
안 울었는데….
아니긴
뭐가 아니야.
눈이 빨간데!

그러고 보니
많이 안 자랐네…
마력이 부족해서
그런가?
괘, 괜찮아요.
괜찮긴
뭐가 괜찮아!

이리 와.

꼼질…

아이
내려놓으십시오.
10분만
안고 있을게요.

누구는 지금
당신 병 수발을
들고 있는데,
병의 원흉을
안고 있겠다는
겁니까?

어제도 데려가서
같이 잔 거
다 압니다.
주세요!

누가 수발들어 달랬나?
중얼
뭐라고 하셨습니까?
잘 먹었다고요.

아직 많이 남았는데요.
이제 배불러요.

이러니까 체중이 줄죠.
2년 전보다 적어도 10파운드는 빠지신 것 같은데요.

경, 제 몸무게도 알고 계세요?
?
?
당연하죠.

제가 당신에 대해
모르는 건 없습니다.
나이, 생일, 키, 몸무게,
지문, 보폭, 다 알죠.
경
악
와…

그건 좀
소름인데요….
오소소
…?

새삼스럽네요.
남작과 단둘이
보낸 시간이
얼마나 많은데
제가 그런 것도
모르겠습니까?

전과 15범의
엘레오노라 아실
남작님.
아, 참. 그랬댔죠.
전과 15범.

…….

…이제 산책 가실
시간입니다.
아….
경이 아이 좀
안아주세요,
같이 가게.

저, 저는
괜찮아요…
그냥 집에
있을래요.

……?

싫어요!

저 노아 없이도
잘 수 있어요.
끙끙
뭐? 나랑 같이
안 잘 거야?

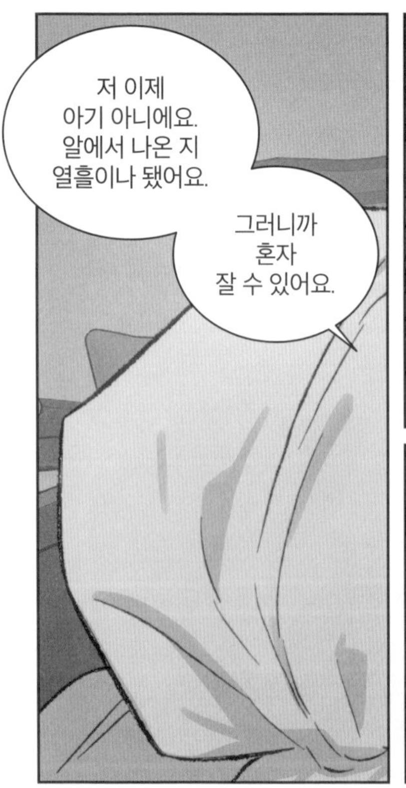
저 이제
아기 아니에요.
알에서 나온 지
열흘이나 됐어요.
그러니까
혼자
잘 수 있어요.

어…
그래….

…….

벌떡

애기야.

훌쩍…
…….
훌쩍…

이리 온.
훌쩍…

정말 혼자
잘 수 있는데….
내가 혼자
못 자서 그래.

스르르…

쿨

으음….
쭈욱

어디로
간 거지?

쿨…
다행이다…
별일 없었구나.

덜덜
추운가?

스윽

!!

팍
앗!

아야야…
애기야,
왜 갑자기….

아….

그래서,
지지난 주 월요일에는
시내에 나가셨다고요?
네.

그럼 지지난 주
수요일에는
어디서 뭘 하고
계셨습니까?
아무래도
아이가 이상하다.

왜 나를 피하는지
물어봐도 대답을
안 한다.
내 마력을
빼앗아 가는 게
미안한 걸까?
팔락
그것 때문이라면
왜 갑자기 어제부터
저러는 거지?

역시 각인
때문인 걸까…
용과 각인이라.

나도 그냥
원래 주인이
있으니까,
라는 이유로
각인을 하지
않는 건 아니다.

용과 각인을 하면
평생 함께해야 한다.
각인할 사람은
용 스스로 고르지만
그 용은 원래
황실에서 관리한다.

용과 각인한 사람은
국가의 중대사에도
관여해야 하며,
위험한 일이 생겼을 때
가장 먼저 끌려 나간다.
힘을 가졌으니
마땅한
책임이지만….

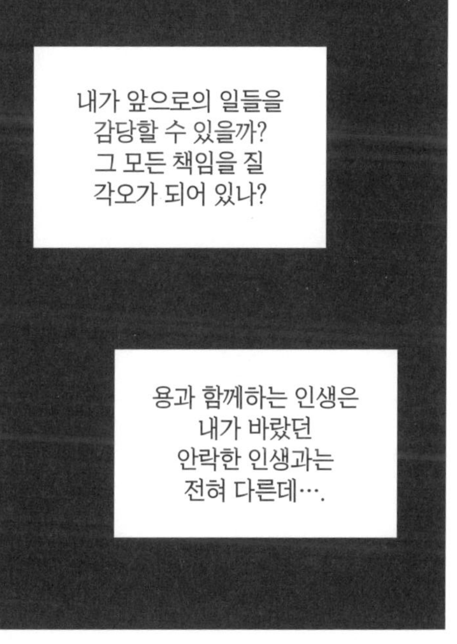
내가 앞으로의 일들을
감당할 수 있을까?
그 모든 책임을 질
각오가 되어 있나?
용과 함께하는 인생은
내가 바랐던
안락한 인생과는
전혀 다른데….

심지어 반려동물 한 마리를
데려올 때에도
많은 각오와 고민이 필요한데,
진짜 인간 같은
어린아이라니….
잘 자라지도
않는 것 같아….
전에는 날마다
쑥쑥 컸는데,
지금은 며칠째
똑같은 것 같네.

남작!
화들짝
네, 네?

혹시
아드리안 로시넬과
최근 접촉하신 적이
있는지 물었습니다.

어, 누구요?
아드리안 로시넬
말입니다.

그게 누군데요?

…….

…아닙니다.
모르시는 걸 보니
없는 모양이네요.
슥
집중을 전혀
못 하시고 계십니다.
오늘은
여기까지 하지요.

전 오늘
소렌트 지사에
일이 있어 일찍
들어가 봐야 합니다.
식재료가 다 떨어졌으니
장을 봐놓으십시오.
사야 할 물건들은 전부
여기 적어두었습니다.
네에….

…….
힐끔
힐끔

하…
영 못미덥네요.
같이 가겠습니다.

애기야—
나 왔어.

애기야?

아가야—
없다.

여기 있니?
없다.

아이가 없다.

밖으로 나갔나?
아가야,
아가야!
아가야—
아가씨,
무슨 일 있어요?

아기가,
아기가 없어져서요.
요만한 키의 검은 머리
남자아이인데….
저런….
아이 이름은요?

이름?

…….
여태껏
이름 하나
없었구나….

내가 각인을
안 해줄 것 같아서,
다른 주인을
찾아 떠난 건가?
노아!
저 버리지
마세요!
노아
아프게 하려던 거
아니에요….

나도 각인할 생각이
아예 없는 건
아니었는데…

툭...

소렌트 치안대.

쾅
!

레너드 경,
이 시간에
어쩐 일로…
비키십시오.

치익…
테제바
수사 보안국입니다.
무슨 용건입니까?

바울,
엘레오노라 아실 남작
관련 문서를
전부 전송해라.
전송 위치는 여기,
루나젤의 제10지구
소렌트.
옙! 당장
전송하겠습니다!

전송 진행 중입니다.
지이잉-

내가 아실 남작에 대해 알고 있는 정보엔 오류가 없다.
잠시 만졌던 손의 지문을 살폈을 때에도 그녀는 ‘엘레오노라 아실’이 틀림없었다.

하지만…

아, 참. 그랬댔죠. 전과 15범.
남의 이야기를 하는 듯한 그 태도는 그렇다 쳐도

지난 4년간 자신의 애인이었던 마법부 장관, 아드리안 로시넬.
그의 이름도 모르는 것처럼 굴다니. 거짓말을 할 이유도 없는데.
그게 누군데요?

엘레오노라 아실,
당신은 대체 누구지?

Chapter 04

엘레오노라 아실,
당신은 대체 누구지?

그건 그냥 취덫이라고요. 쥐 잡는 데에 쓰는 거. 알아들어요?

전 원래 보호자에게 돌려보내려고 한 것뿐이에요….

끈질긴 수사관님.
난 진짜 아는 게
없다니까?
난 제대로 만들었고,
족치려면 중간 유통자
잡아다 족쳐요.
내가 지금 이따위
질문이나 받으면서
시간 낭비할 정도로
한가해 보여?
이리 와.
콰
레, 레너드 경?
이런 멍청한….
엘레오노라 아실을
5년이나 전담했으면서
이제야 결론을 내다니.

남작이 잠잠했던
지난 2년간
그녀를 잊고 살았던 탓에
생각이 무뎌졌었다.
탁 탁 탁 탁 탁
헉
헉
헉

끼이익
아가야, 너니?

아가야…

있으면
대답을 해야지,
찾았잖아…!
……!!
푸드덕

걱정했잖아!
네가 없어진 줄
알았단 말이—
지끈…
……!
!

머리 아파….
노아,
안으면 안 돼요….
덜덜
덜
헉헉
헉

덜덜
왜, 왜…
왜 있으면서
대답 안 했어….

그치만…
머뭇
머뭇
노아는,

노아는 저를 싫어하니까….

뭐…?
노아가 잘해주니까, 저는 노아가 좋아졌는데, 노아랑 같이 있고 싶어졌는데…
노아는 몸이 아파져도 저랑 각인하려 하지 않으니까

노아가 절 귀찮아하는 것 같았어요.

노아가 저를
싫어하는 게
무서워서,
노아한테
미움받는 게
무서워서…
그래서,

…….

아가야…
그런 거 아니야,
싫어한 적 없어.

네 말이 맞아.
각인할 생각 없었어.
나는 노력하는 거에
완전히 질려 있었으니까.

널 그냥
원래 있던 데로
돌려보낼
생각이었어.

그랬는데
너랑 있는 게
즐거워서…
네가 너무
귀엽고 예뻐서

결정을 미룬 채로
그냥 널 옆에 뒀어.
희망 고문처럼
느껴졌다면 미안해….
…!

아가야, 난
이렇게 한심한
어른이지만…
이런 나라도
괜찮다면,

나랑
같이 살래?

내 선택에 책임을
지는 게 무서워서
지금까진 계속
결정을 피해왔는데…
역시,

사실은, 나도 널
보내고 싶지
않은가 봐.
너랑 같이
있고 싶어….
……!!
앞으로 일어날 일들이
안 무서운 건 아니야.
하지만…

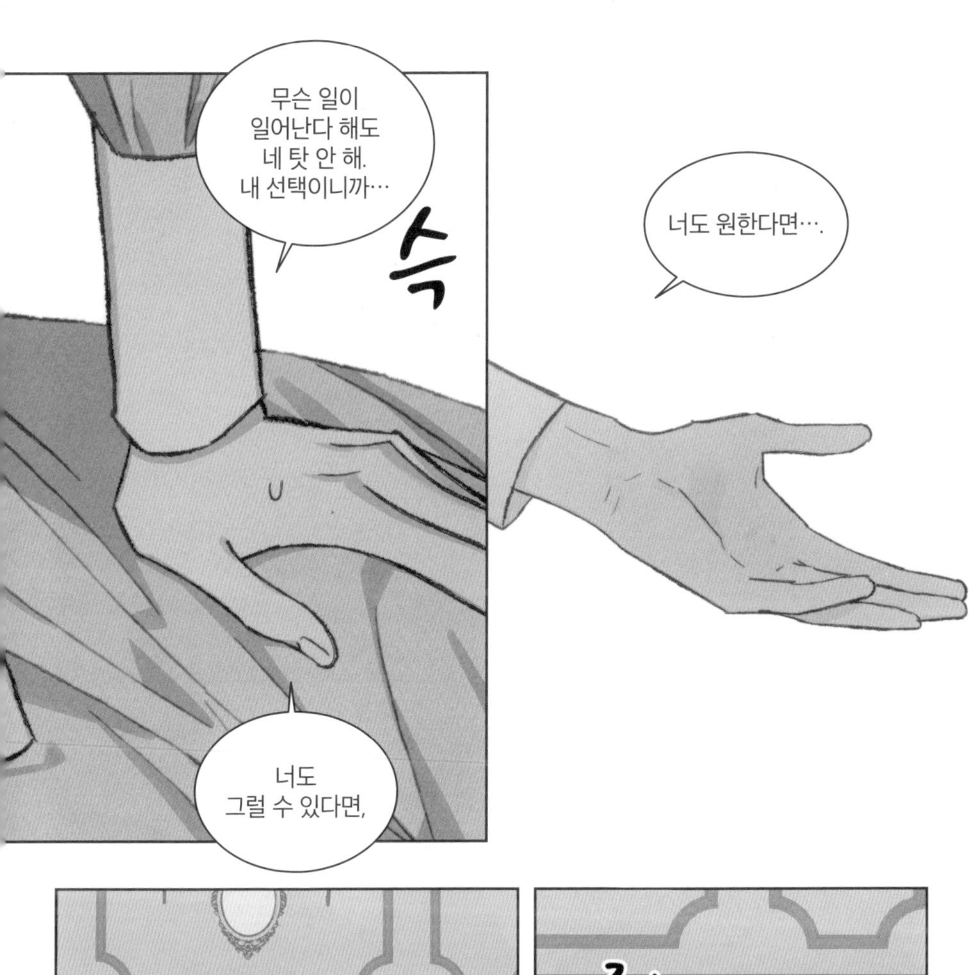
무슨 일이
일어난다 해도
네 탓 안 해.
내 선택이니까…
슥
너도 원한다면….
너도
그럴 수 있다면,

주춤
주춤

머뭇…

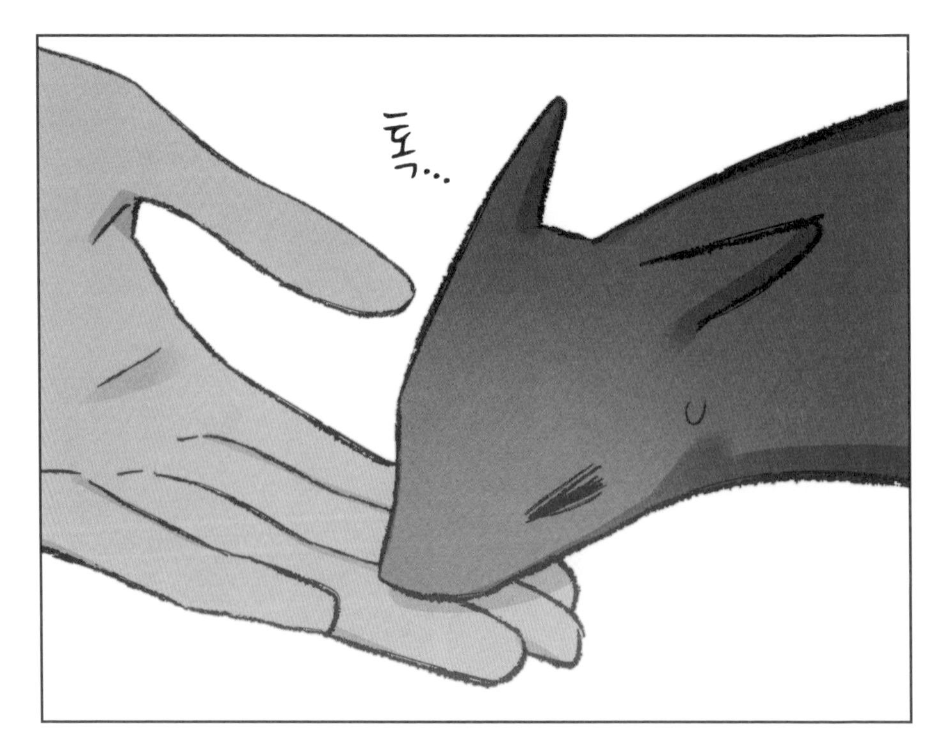
톡…

반짝
노아….

내가
이름을 지어줘야
각인을 할 수
있는 거지?
네.

이름은
뭐가 좋을까?
소설에서는
'가장 어두운 밤'
이라는 뜻의
고대어 이름이었지.
이 애가
까만 용이라서
그렇게 지었겠지?

하지만
그런 께름칙한 이름을
붙여주고 싶지 않다.
인생이
이름 따라간다는
말도 있는걸.
음….

뮤.

뮤이엘.
그게 좋겠다.

무슨 뜻인지 알아?
고대어로 맑은 물이라는
뜻의 '뮤이'에 푸르다는
뜻의 '에헤르'를
합쳐서 '뮤이엘'이야.
마음에 들어?
네!!

뮤이엘….
중얼

휘이잉

……!
뮤,
이게 뭐야?

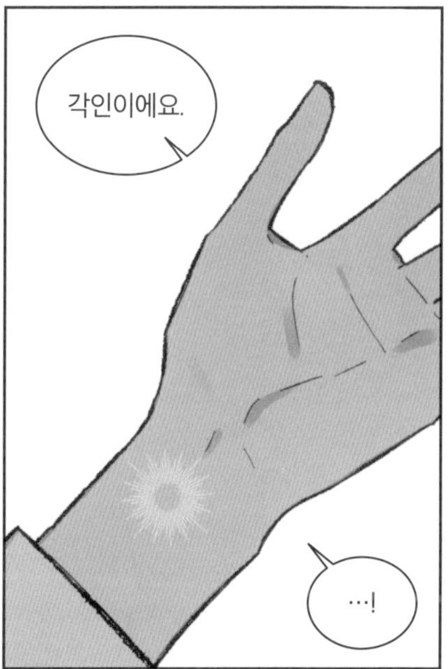
각인이에요.
…!

왠지 갑자기 힘이 넘쳐, 엄청나…!
진작에 할 걸!!
노아가 이제부터 제 진짜 주인이에요.

노아가
각인해줘서
너무 행복해요.
똑
똑
똑
어?
레너드 경인가.

집안 꼴은
그렇다 쳐도,
이 반짝이들은…

그래, 그냥
솔직하게 말하자…
나는 잘못한 거 없어.
떳떳하다구.
똑
똑
네, 나가요!

철컥
슥…
!
끼이익
어라, 문을
안 잠갔었나….

묻겠습니다.
엘레오노라 아실

본인이
맞습니까?

움찔…
대답 외의 행동을 할 생각 마십시오.
제가 당신 집에서 뭘 했는지 아실 텐데요.
……!

그래, '청소'했다.
카일은 엘레오노라의 마법 물품들을 전부 압수했고, 집 안의 구조도 모두 알고 있다.

처음 같은 요행은 기대할 수 없다—
다시 묻지요. 엘레오노라 아실,
본인이 맞습니까?

세 번은
말하지 않습니다.
무슨 의도로 하는
질문이지?

이 질문은
엘레오노라 아실이
아니라 나,
박노아에게
하는 질문인가?

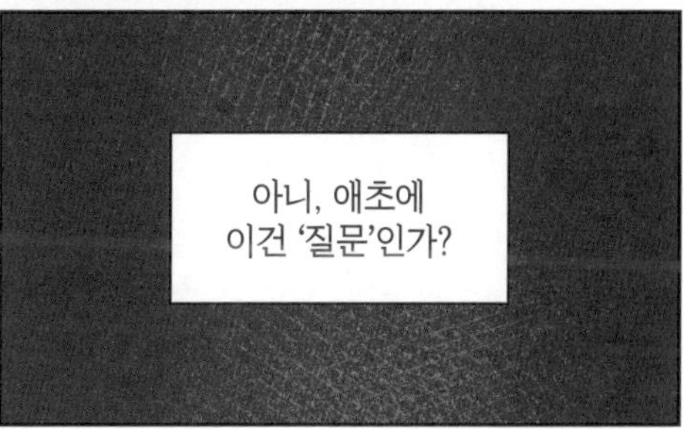
아니, 애초에
이건 '질문'인가?

모 아니면 도다.
…아니에요.

당신의 본명은?

본래 나이와 성별, 출신을 대십시오.

나이는 여기 나이로 스물여섯, 원래도 여자예요.

그리고 출신은…

본래 직업은?
그냥 평범한 회사원이요. 무역 회사였어요.

엘레오노라 아실은 지금 어디에 있습니까?
머뭇…
…….

…죽었어요.
죽었다?

제가… 이 몸을 찾았을 때는 이미 영혼이 떠난 상태였어요.
누가 죽였는지는 몰라요. 어떻게 죽었는지도….

그럼 당신의 원래 몸은 어디에 있습니까?
그 몸도 죽었어요.
과로사로 죽은 것 같아요.

…….

경, 그렇게 깐깐하게 살다간 젊은 나이에 과로사해요.
저주입니까?
동정인데요.

죽고 나서 한참 동안 잘 모르는 곳들을 떠돌았어요.
그러다가 들어오게 된 몸이 이 몸이에요.

왜 하필이면 그 몸이죠?
그건 저도 몰라요.

엘레오노라 아실의
마법적 능력을
노린 것은 아니고요?
그랬다면
제가 마법을
쓸 줄 알았겠죠.

마법을
쓰지 못한다는
말입니까?
몰라요.
제가 할 수 있는 건
메뉴얼이 있는
마법 물품을
사용하는 것
뿐이에요.
다른 건 엘레오노라가
본인한테 걸어놓은
통역 마법 정도예요….

노아….
나서지 마, 뮤!
위험해.

죽었다…
엘레오노라 아실이
죽었다라.
중얼…

번득…
협조 의사, 있습니까?

네, 네. 협조할게요. 경, 제가 얼마나 무력한 인간인지 봐서 아시잖아요…!
침착한 척 하는 것도 이제 무리야…!
그러니까 이제 그 총 좀…

내려주시면 안 될까요?
이 여자의 진술을 믿을 것인가?

뚜벅

물증 하나 없다,

다른 세계와
영혼을 들먹이는
이 여자의 이야기를
믿을 것인가.

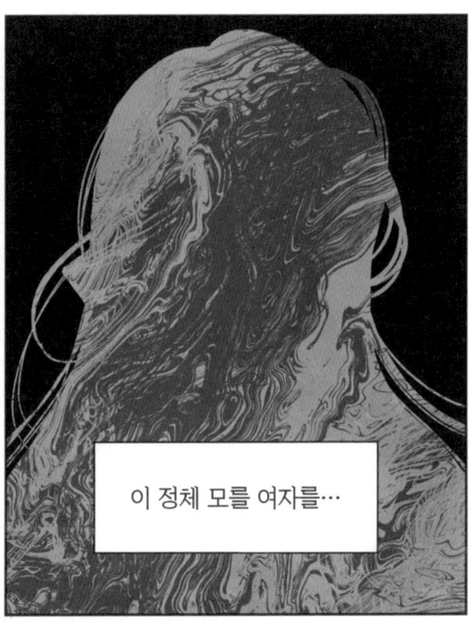
이 정체 모를 여자를…

…….

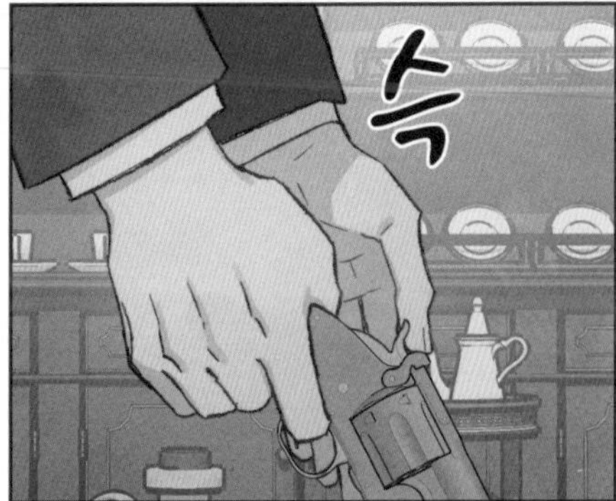
스윽

힐끔

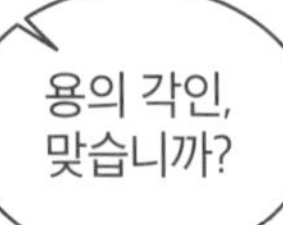
용의 각인,
맞습니까?

…네.

분명 제게 리자베르제뉴어의 알 실종 사건과 본인은 아무런 연관이 없다. 그리 진술하셨습니다.
거짓이었습니까?

저는 거짓말한 적 으, 없어요.
허억
허억

잠깐, 당신, 호흡이 왜….
헉
헉

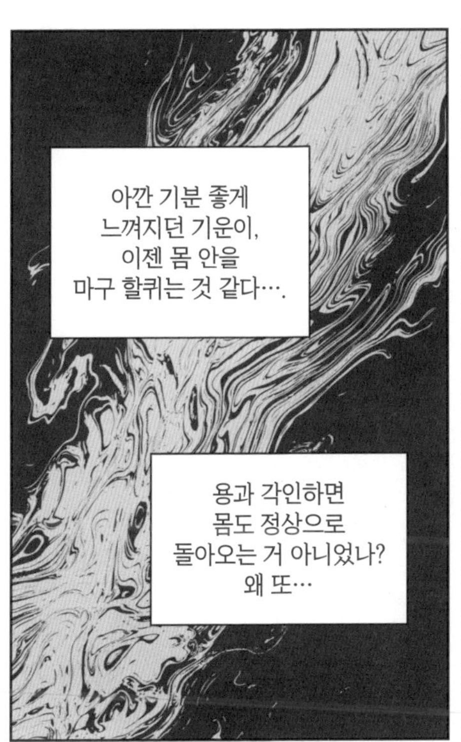
아깐 기분 좋게
느껴지던 기운이,
이젠 몸 안을
마구 할퀴는 것 같다….
용과 각인하면
몸도 정상으로
돌아오는 거 아니었나?
왜 또…

또 기절할 것
같아….
휘청…
!

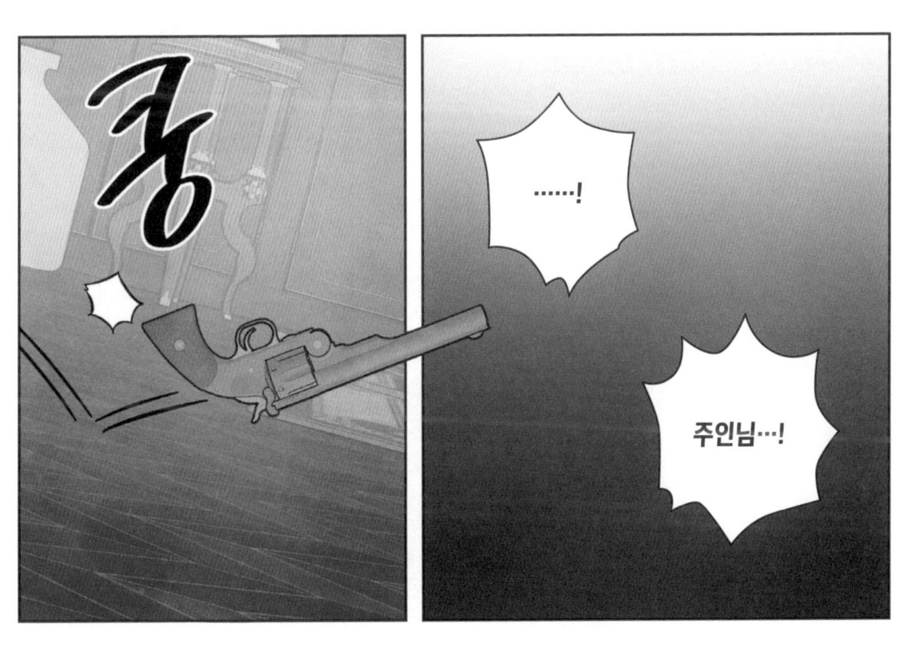
쿵
……!
주인님…!

주인님, 주인님!
주인님, 괜찮아요?

…?
몇 분 정도 정신을 잃었었습니다.

하….

슥…
열이 나네요.

일단 올라가죠. 잠시 실례하겠습니다.
자, 잠깐…!

해치지 않습니다. 계속 여기 주저앉아 있을 수는 없잖아요.
초, 총.
무서워요….

안 들고 있습니다. 이제 됐습니까?
옷 안에도 총 또 있잖아요…! 그냥 옷 벗어요!
옷 벗어요!

하아…

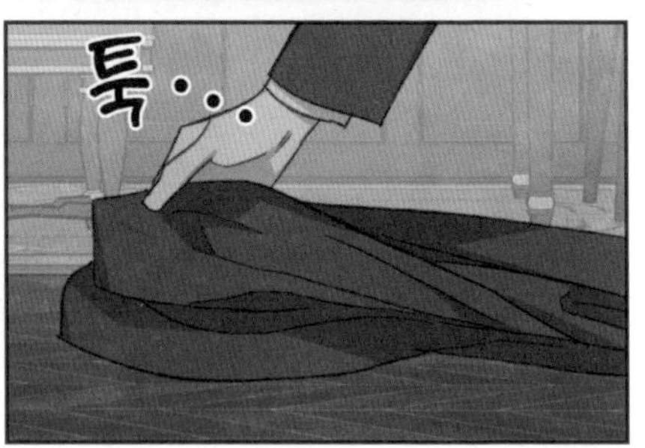
툭…

지난번에 받은
해열제입니다.
드십시오.

주무세요.
시간이 되면
깨워드리겠습니다.

고맙습니다….
스르르

쿨…
근거는
부족하지만,
한번
믿어보겠다.
이 못미더운 여자를….

참고인으로
대해주실 거죠,
수사에
협조하겠다고
약속했잖아요.
총 같은 거
겨누시면 저….
안 그럽니다.

당신은 아까
그 상황이 제게도
위협적이었다는 생각은
안 하시는군요.
?

다시 한 번
묻겠습니다.
당신이 용의 알을
훔쳤습니까?
아니에요!
저 알 도둑
아니에요.

전 그냥 보통 알인
줄 알았다고요.
시장 구석에
굴러다니고 있길래,
좀 큰 타조알인가 보다,
하고…
신기하기도 하고,
먹을 수 있을 것 같아서
들고 온 건데.
깨니까 얘가
나오잖아요!

그런데 각인은
시작됐다고 하고,
각인을 안 하니
저도 애도 힘들고…
그래서 어쩌다 보니
하게 된 거라구요.
용의 주인에게
어떤 책임이 따르는지
알고 각인한 겁니까?
단순히 마력을
공유하는 차원의
문제가 아닐 텐데.

아차
그것도 모르고
했겠어요….

어떻게 알고
있습니까?
이 세계 출신이
아니라면서.
아이고야….

빙의자라는 걸
밝히긴 했지만…
소설 속 이야기라느니,
그런 말까지 하기엔 좀…

당신 설정값에,
미래의 배우자가
누구인지도 다
안다고 말해야 하냐구.

껄끄럽고
어색할 텐데.

뭐야, 설마
둘이….

저 아저씨가 말썽 안 부리고 가만히 있으면 노아랑 각인하는 거 도와준다고 했어요!

그리고 넌 낌새만 보이면 날 죽이려고 들었지.
죽이려고 안 했어요.
네 입으로 죽이지만 않으면 되는 거다, 라고 하지 않았나?

아하, 그래서 각인 못 하게 하려고 제 체력이라도 키워주시겠다는 거였어요?
뜨끔
…어쨌든 그간 불만 없으셨지 않습니까. 그러는 당신이야말로,
아무것도 모른다면서 제 이름, 얼굴, 용의 존재, 각인에 대한 것까지 전부 알고 계셨잖아요.
뜨끔

…됐고, 그래서 이제 어떡하실 거예요? 저 잡혀가나요?
…일단 수사의 방향을 틀어야겠지요.
?
그 전에 우선 확인해볼 게 있습니다.

머뭇

슥
실례합니다.

흠….

여전히 마력의
흐름이 불안정하군요.
심장 박동도
지나치게 빠르고,
열도 오르는 것
같은데.
네… 네에.

각인은 언제
했습니까?
아저씨 오기
바로 전에요.

그렇군요.
기절하셨던 것의
이유는 각인일지도
모르겠어요.

각인 주위가
빨갛게 부었군….

앗…
만지면
아파요….
미, 미안합니다.

이 용에게 이름을
주었습니까?
네.

손 이리 내.
아무래도 네가
원인인 듯하니까.
제가요?
네 주인이 고작
아까 그 정도의 심문으로
정신을 놓는
심약한 인간이 아니라면
원인은 분명하지 않나?
어서
이리 와 봐.

…….

움직여
보십시오.
뭐, 뭘요?
당신 몸 속과
이 집을 가득 채운
용의 마력 말입니다.

'박노아 양'이라니…

남의 입에서
이름을 듣는 건
오랜만이라
이상하네.

저는
마법을 쓸 줄
모른다니까요, 경.
언제
믿으실 거예요?

…….
각인에
문제가 있었던
모양이군요.
네?

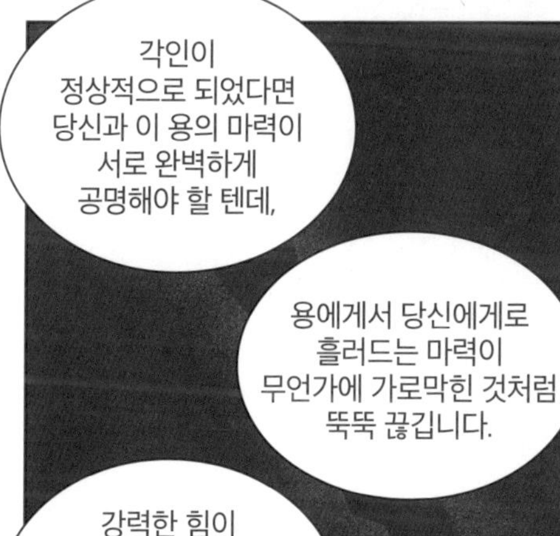

각인이
정상적으로 되었다면
당신과 이 용의 마력이
서로 완벽하게
공명해야 할 텐데,
용에게서 당신에게로
흘러드는 마력이
무언가에 가로막힌 것처럼
뚝뚝 끊깁니다.
강력한 힘이
조절되지 않고 전달이
되었다 말았다 하니
몸에 무리가
될 수밖에요.

그리고
각인이 완벽했다면
당신이 용의 힘을
자유자재로 다루실 수
있었을 겁니다.
방법을
모르는 것 정도는
문제가 안 됩니다.
아….

처음엔 이 몸이 원래 당신의 것이 아니기 때문에 외부의 마력에 거부 반응을 일으키는 것이 아닌가, 생각했습니다만…
뭐, 당신의 진술이 사실이라고 가정했을 때의 가설이었지만.
진짜거든요?
중얼
째릿

아까 당신의 몸에 제가 가진 마력을 흘려 넣어 보았지만 딱히 거부 반응이 오지는 않았습니다.
거부 반응이 있었으면 전 골로 갔겠네요…?
흠흠
…극히 미량이었습니다.
아무튼, 그래서 제 생각엔 이 용에게 원인이 있는 것 같습니다.

용의 각인은 부화기에 임박했을 때부터라고 들었습니다.
용은 그 시기부터 자신에게 접촉한 인간들과 공명하고,
부화하면 다른 후보들과의 공명을 끊어내고 오직 한 사람과 정식으로 각인하는 거죠.

아,
그렇다면…
제가 용의 알을
그 골목에서
발견하기 전에….
그렇습니다.
알에 접촉한 다른
인간과의 공명을
끊어내지 못한
상황인 거라고
생각할 수 있죠.

꼬마, 알에서
나오기 전에
인간의 목소리를
들었다고 하지
않았었나?
끄덕
끄덕
그랬어?

뮤,
네가 들었다는
목소리,
여자 목소리였어,
남자 목소리였어?
으음….
?
내 목소리랑 비슷했어,
아니면 이 아저씨
목소리랑 비슷했어?

노아 목소리랑
비슷했어요.
!

원래 소설에선
분명히…
용의 최초 접촉자가
레니아인데.

혹시 레니아가
용의 알을 획득하고,
그 후에 뭔가 일이
벌어져서
알이 내게로 온 건가?

용의 최초 접촉자가
레니아인 건 맞는 걸까?

언제부터 이야기가
소설과 달라지기
시작한 거지?

지금으로선
이 용의 원래 주인인
레니아밖에는
떠오르지 않아….

…내가 노아를 아프게만 하는 것 같아요.

노아가 절 미워해도 어쩔 수 없다고 생각해요….

뮤….

뮤, 내가 각인하기 전에 했던 말은 잊어버린 거야?
서로 탓 안 하기로 했잖아. 내가 선택한 거니까 내가 책임질 거야.

절대 뮤를
미워하지 않아.
그리고,
너랑 나랑 아주
가늘고 길게
잘 살 거야.
공명? 그런 거,
그냥 빨리 범인을
찾아내서 끊어버리면
되지.

그러니까 나랑
그게 누군지 찾으러
가자.

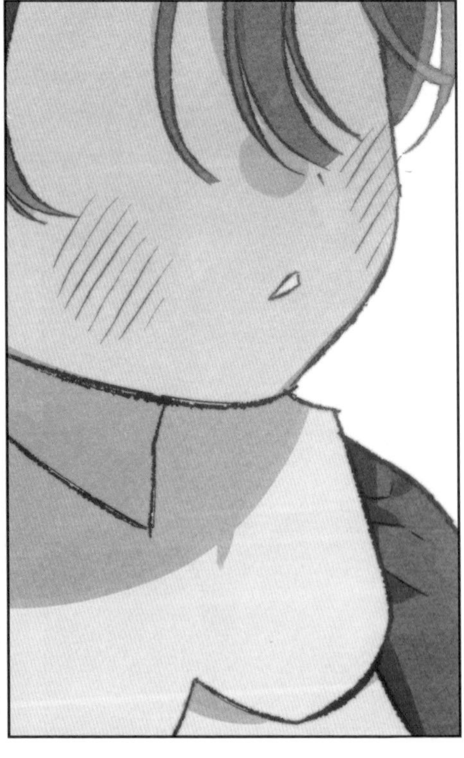

이제 좀 한가해지나
싶었는데,

또 해야 할 일이
생겨버렸다.

Chapter
05

수도로 복귀할 예정입니다.

그쪽이 리자베르제뉴어의 알 도둑 용의선상에서 제외되었으니 다음 용의자들을 수사하러 가볼 계획입니다.
범인을 잡으면 누가 저 용과 먼저 각인했는지도 자연히 나오겠지요.
찾으면 당신에게도 연락이 갈 겁니다. 그동안 당신은…

그냥 그 몸에 계속 계셔야겠지요. 되도록이면 이곳에 가만히.
그냥 여기 있으라고요?

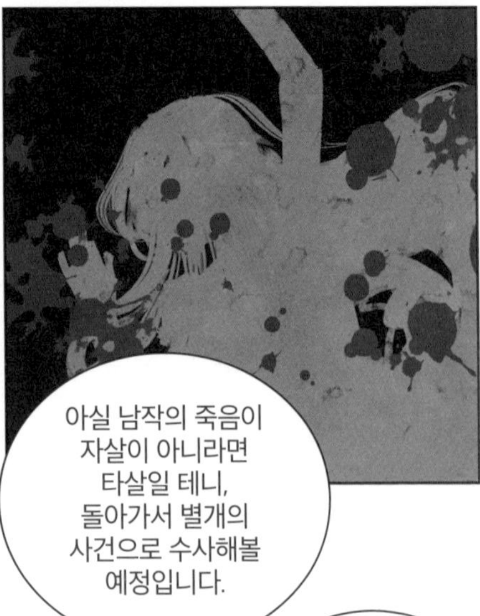
아실 남작의 죽음이 자살이 아니라면 타살일 테니, 돌아가서 별개의 사건으로 수사해볼 예정입니다.
누가 어떤 이유로 그 여자를 죽였는지.

용의 힘은 웬만하면 쓰지 않으시는 게 좋겠습니다.
이건 권고 사항입니다.
네….

아, 레너드 경.
수도로 올라가시기 전에 저랑 시내에 잠깐 나가요.
네?

레너드 경, 여기예요.

제가 뮤를 발견한 곳이에요.
아아….
수사의 일환… 이었군.

알요? 히익,
그렇게 큰 알은
취급하지 않는데유.

그렇다면 최근
소렌트에 외지인이
들어온 적은
없습니까?
아무리
깡시골이라도
외지인이 없지는
않쥬.
외지인 중 기억에
남는 여성이
있습니까?

여자유?
뭐 여자도 보기는
했는데, 음.
아이 엄마 한 명이랑
노파도 있었고…
아, 그리고 젊은
아가씨도 왔었지유.

!
그 젊은 여자의
인상착의를
기억하십니까?
로브를
뒤집어쓰고
있어서 못 봤쥬.
그럼 와서
뭐라고 하던가요?
기억나는 점이
있으십니까?

예에, 장사를 막 시작하려는데 와서는,
테제바로 가는 기차가 몇 시에 있냐고 묻던데.
"실례합니다, 다음 테제바행 기차는 몇 시에 있나요?"
말씨가 딱 수도 깍쟁이 같아 기억이 나는구먼.
테제바?
그게 언제였죠?

글쎄… 날짜는 모르겄는디. 테제바로 가는 기차는 한 시간 뒤에 있다고 했더니 급하게 뛰어가던 게 기억이 나는데.
여기에서 수도로 오가는 기차는 나흘에 한 번 있으니까 사흘 전은 아니고…
그럼 뭐 한 일주일 전쯤이겠네유.

일주일 전이면… 내가 소렌트로 내려온 날이군.
설마 엇갈린 건가.
하….

저기…
여관 주인이랑
그 여관 요리사,
근처 찻집 주인한테도
물어봤는데요.
세 명 다 로브를 쓴
젊은 여자를
며칠 전에 봤다고
하더라고요.

제가 알을 줍는 걸
보고 있었을 수도
있겠어요….

그런데 남작.
왜 처음에
이 용을 푸줏간
주인에게
맡겼습니까?
노아라고
부르세요.

예?
자꾸 그쪽이
남작이라고
부르시길래…
푸줏간에 맡긴 건
푸줏간 주인 아저씨가
수도로 간다고
하셨거든요.

왜 굳이
수도였죠?

노아는 이 용을
처음 주운 후 네 번이나
우체국을 들락거렸다.

견고하게 포장한
상자를 프리미엄까지
붙여가며
수도로 배송시켰지만

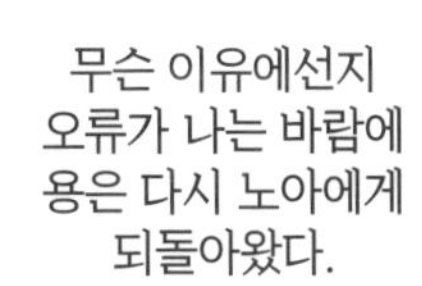

무슨 이유에선지
오류가 나는 바람에
용은 다시 노아에게
되돌아왔다.

노아가 왜 그녀를
지목했는지는
모르겠지만,

수도에 돌아가면
레니아 발테이어
백작 영애에 대해
조사해야겠군.

약은 거르지 말고
드십시오.
마력 문제로 또
쇼크가 올 수도
있으니….
부정 타니까
그런 말씀
금지예요.

저는 이만
돌아가겠습니다.
…….
머뭇…

노아 양이 제게
말하지 않은 게
있다는 것을 압니다.
…그런데요?

캐묻지 않은 건
그간의 무례에 대해
제가 표현할 수 있는
최대의 사과로
생각해주시면
감사하겠습니다.

물론 그렇다고 해서
노아 양의 혐의가
완전히 벗겨진 건
아니라는 걸
명심해주십시오.

뚜벅
뚜벅

피식

하아….
소렌트에서
경유지인 루나젤까지
반나절,
루나젤에서 바투아누
혹은 에드망을 거쳐
테제바까지 가는 데에
최소 나흘.
그마저도 야간 기차를
타지 못하면 중간중간
하차해 여관에 묵어야 하니,
재수 없으면
엿새 넘게 걸릴 수
있다.

1. 리짜베르제뉴어의 알 실종 사건.

2. 테제바, 렌디아구 치안대의 횡령 건.

3. 노비소코샤 광산 노예 집단 실종 사건.

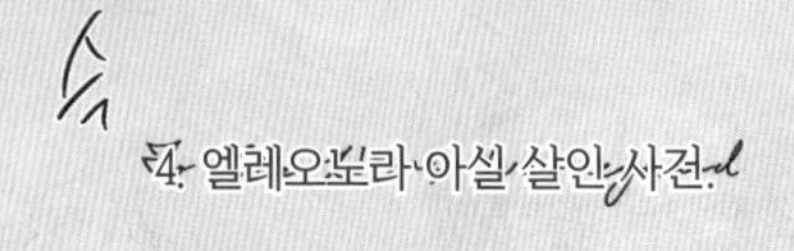

하지만 용의 주인이
되었으니 시골에서
나태하고 평온하게만
살 수는 없을 테다.

그렇게 되면
필연적으로 또다시
마주치게 될 수도
있겠지.

또 엘레오노라
살인 사건의
진상을 밝히고
혹시라도…

벅벅
……….

내가 왜
이런 생각을….

딸랑
테제바행, 출발
10분 전입니다!
딸랑
테제바행, 출발
10분 전입니다!
아,
탑승 시간이군…

…노아 양?
늦게
오시네요, 경.

…왜 여기
계십니까?
전에 제가
뮤한테 하는 말
못 들으셨나요?
저도 그 알
도둑인지 뭔지
찾으러 가려고요.

수사에
협조해드린다는
뜻이에요.

뚜우우우—
수도 테제바행,
테제바행
기차입니다—.
승객분들은
탑승을
마쳐주십시오!
아, 어서
가요!

탁
탁
탁…
꾸물대시면
두고 가요!

앞으로
귀찮은 일이
늘어날 것 같군.

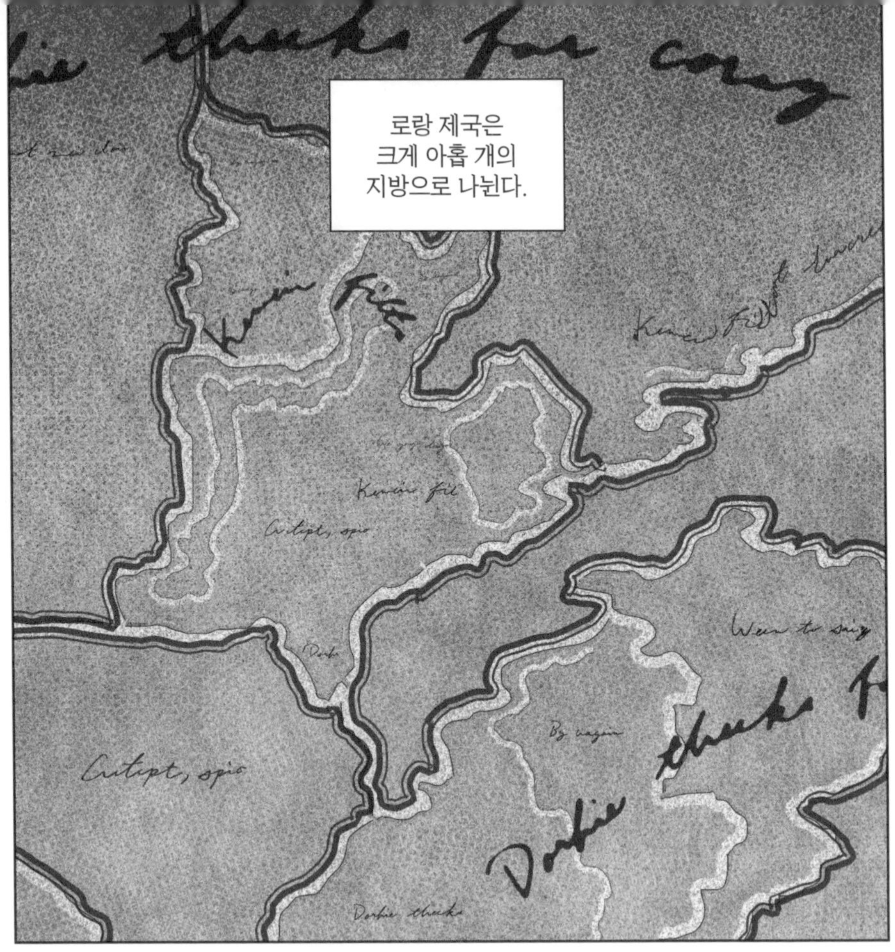

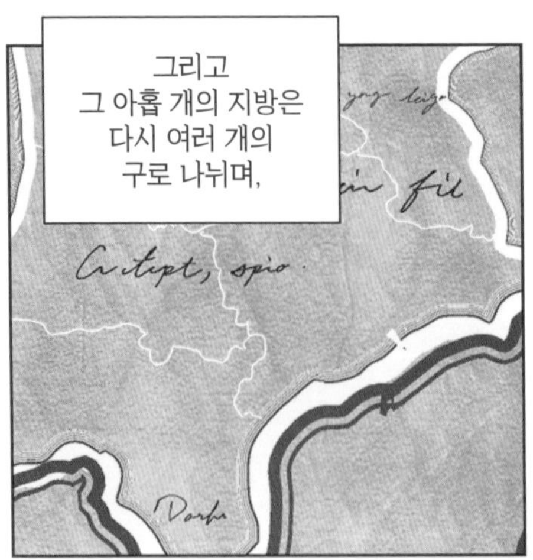

각 구에는 정치적,
경제적, 사회적
중요도에 따라
번호를 부여한다.

앞에 붙은 숫자가
작을수록
도시에 가깝고,
클수록 시골에 가깝다.

예를 들면
수도 테제바의 제1구는
황성과 고위 귀족들의
저택이 밀집해 있는
에이제트,

제2구는
하급 귀족과
중산층이 사는
렌디아.

마지막 구인
제12구는
빈민가인 히젠,
뭐 이런 식이다.

소렌트는
루나젤 지방의
제10구였다.

애초에 루나젤 자체가
수도에서 가장 멀리
떨어져 있는 데다
아직 개발이 활발히
이루어지지 않은 지방이라,

굳이 지역 번호를
따질 것 없이
어딜 가나
조용하고 한적했다.

그런 루나젤에서
그나마 번화한 도시를
찾자면 이름이 같은 제1구,
루나젤을 꼽겠다.

바로 지금 나와 뮤
그리고 카일 레너드가
향하고 있는 곳이었다.

수도 테제바로 가려면
그곳에서 기차를
갈아타야 한다.

사라진 용의 알,
대체 범인은
누구인가?

마법이 저문 시대에
부화한 용.
그 존재가 대륙에
미칠 영향은?

마법부 장관,
현 사태에도 불구하고
여전히 장기 휴가 중?

신문 1면이 전부
용에 관한 기사들
뿐이잖아….

경, 수도로 가면
제가 조사에 굉장히
성실히 임했다고
보고해주세요…
소환령이 내려오면
재깍재깍 응하기나
하십시오.
잠시 용의자 취급을
받더라도
수사 보안국의
보호 아래 있는 게
나을 겁니다.
당신을
노리는 이들이
한둘이
아닐 테니까.

제가 용의
주인이라서요?
그에 더하여 당신이
엘레오노라 아실이기
때문입니다.
그러니 한시도
긴장의 끈을 놓지
마십시오.

물론 당신께 그런 걸
기대하지는 않으니
그냥 제 옆에서
떨어지지 마십시오.
네, 네.

…….

…당신이 레니아
발테이어 영애를
아는 이유도—
덜컹
!

츠궁
츠궁…
아야야,
깜짝이야.
츠궁
츠궁…
루나젤의 철도는
승차감이
영 아니네요.
!

또각
또각
경,
왜 그러세요?
노아 양,
후드를 쓰십시오.
……?
또각

또옥 또옥

싱긋…

신문, 커피,
따뜻한 담요와
비스킷도 있습니다.
…판매원인가
보군요.

아, 마침
출출했는데….
슥

절레
절레

…아무리 그래도 발로 멈춰 세우는 건 좀 그렇지 않아요?
눈치챘다는 기색을 내비치면 안 되니까요. 그리고 불러도 안 듣지 않으셨습니까?
경고할 새도 없이 일어나셔 놓고는.

판매원, 다른 객실은 들르지 않고 그냥 가버렸어요.
그렇죠.
언제부터 아셨어요?

그자가 다가오는
소리를 들었을
때부터입니다.
단거리를 운행하는
기차에서는 식사가
제공되지
않습니다.

아까는
판매원이라고
그러셨잖아요.
판매원으로
위장했다는
뜻이었습니다.
들릴지도 모르는데
소리 내어
경고하면 안 되죠.

말씀드렸죠, 노아 양.
당신을 노리는 이들은
한둘이 아닐 거라고.
비단 용주이기
때문이 아니라,
당신이 엘레오노라
아실의 몸을
하고 있기 때문에.

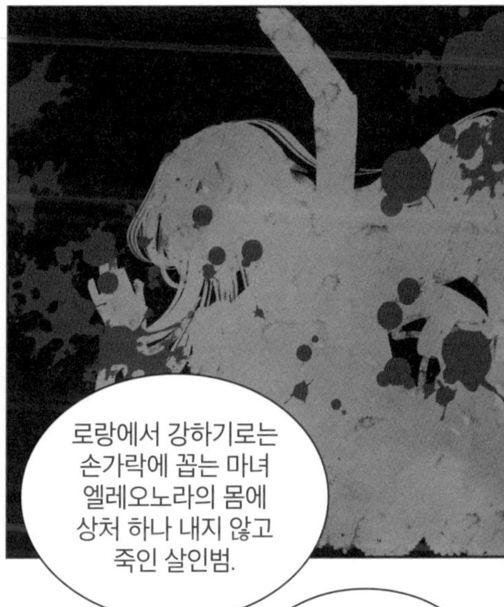
로랑에서 강하기로는
손가락에 꼽는 마녀
엘레오노라의 몸에
상처 하나 내지 않고
죽인 살인범.
당신이
가장 경계해야
하는 건 그자입니다.

'그자'라고
표현하는 게 맞을지는
모르겠군요.
배후에 몇 명이 있을지
알 수 없으니.
지금까지는
괜찮았는데….
지난 2년 동안
아무 일도
없었어요.

지금까지야 소렌트에
거의 죽은 듯이
있으셨으니 무사했던
거고요.
당신이 본격적으로
세상에 나가면
이야기는 달라지겠죠.
…….

…소렌트에서는
캐묻지 않는다고
했습니다만.
역시 당신이
레니아 발테이어를
어떻게 알게 되었는지,
알아야겠습니다.
이런….

말해도
되는 걸까?
빙의한 것도
얘기한 마당에….
음….

생각할 시간
30분 드리죠.
1시까지.

어, 어디
가시려고요?
잡아야 할 것
아닙니까.
제가 나가면
커튼을 치고
절대 누구에게도
얼굴을 보이지
마십시오.
탁…

쿠당
쿠웅
깜짝
깜짝
쿵

쿠당탕

미안합니다.
상황이 마땅찮아서
객실로
데려왔습니다.
히익…
쿨럭 쿨럭

누구의 사주를
받았습니까?
……!

율렘
소속입니까?
!

율렘?

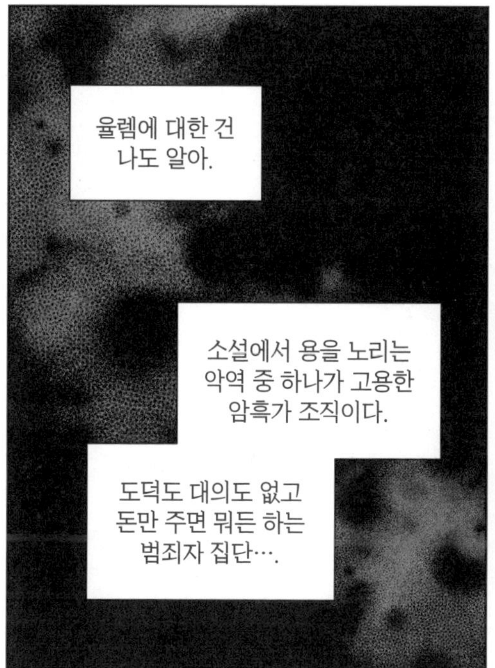
율렘에 대한 건
나도 알아.
소설에서 용을 노리는
악역 중 하나가 고용한
암흑가 조직이다.
도덕도 대의도 없고
돈만 주면 뭐든 하는
범죄자 집단….

이 사람이
율렘의…
난 아무것도
몰라.

당신, 위장도 허접하고
기척도 숨길 줄
모르는 걸 보니
말단인 모양인데.
율렘에게 잡혀
죽을 겁니까,
아니면 교도소에서
평생 썩더라도
로랑 수사 보안국의
보호 아래
있을 겁니까?
웃기지 마…
수사관에게
판결권 따윈….

상부에서 엘레오노라로 추정되는 여자 옆의 남자에 대해서는 정보를 주지 않았습니까?
무, 무슨 헛소리를….

로랑에서 즉결 처분권을 가진 사람은 딱 넷입니다. 황제 폐하, 수사 보안국 장관, 차관, 마지막으로 총괄 대장.
나는 전시가 아닌 이상 내 재량으로 범죄자의 급소를 저격할 수 있다는 말이지요.
……!

재수도 없죠. 하필 제게 걸리다니.
안 그렇습니까?

어, 어, 얼굴만….

얼굴만 보고 오라는 명령이었어. 내가 명 받은 건 감시자의 의무라고…!
주, 죽이거나 해치려던 건….
당신 외에 같은 명령을 받은 자들이 더 있습니까?

…….
머뭇…

퍽

추욱…
더 안 캐묻나요?
율렘 조직원들의 머리나 심장 근처엔 자폭 장치가 심어져 있습니다.
마법으로 작동하는데, 고용주나 조직 기밀을 발설하면 즉시 장치가 폭발하죠.
이자가 말을 못하는 건 아마도 그 때문이겠지요.

히익….
…엘레오노라
아실의 초기
발명품입니다.

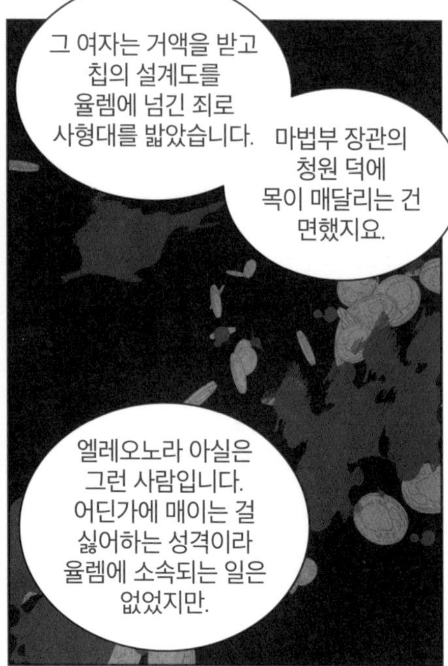
그 여자는 거액을 받고
칩의 설계도를
율렘에 넘긴 죄로
사형대를 밟았습니다.
마법부 장관의
청원 덕에
목이 매달리는 건
면했지요.
엘레오노라 아실은
그런 사람입니다.
어딘가에 매이는 걸
싫어하는 성격이라
율렘에 소속되는 일은
없었지만.

이자는 수사 보안국
본부로 데려가
칩을 제거하는 수술을
받게 할 겁니다.
테제바에 도착하면
곧바로 호위를
붙일 겁니다.
테제바까지 안전하게
가는 게 관건이겠군요.
아하….

이젠 확실히
위험한 상황인 걸
아시겠지요.
이런 상황에
우리가 가진 정보가
서로 공유되지 않으면
걸림돌이 됩니다.
절 믿고
말해주실 수는
없습니까?

…….
…….
제가 하는 얘기가 헛소리 같아도… 믿어주실 거예요?

약속합니다.

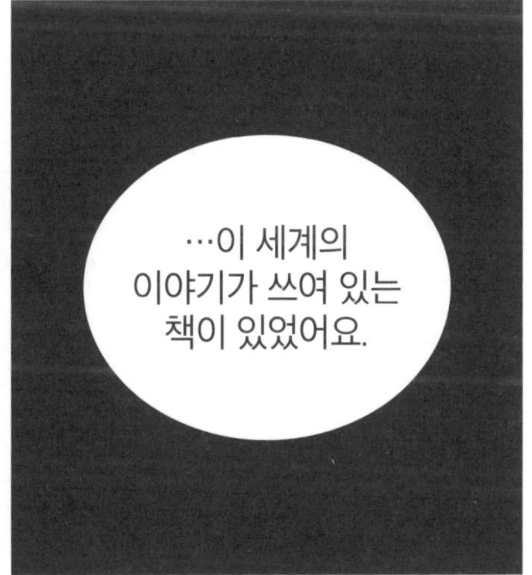
…이 세계의 이야기가 쓰여 있는 책이 있었어요.

책이라.
어떤 책입니까?

이 세계의 이야기가 적혀 있는 소설이에요.

레니아, 엘레오노라, 용, 그리고 당신에 대한 이야기가 나와 있어요.

그 소설에선 레니아가 원래 용의 주인이에요.

제 망상 같은 거 아니에요.

저도 처음엔 반신반의했는데, 엘레오노라, 레니아, 이 나라까지 전부 소설 속의 내용과 같았다고요.

음…
골자는 레니아의
성장 이야기에
가까워요.
용주가 된 레니아가
당신과 만나며
벌어지는 사건들을
다룬 이야기거든요.

저와요?
?
네. 음… 그,
경이 남…
남자
주인공이거든요.

정색…
그런 표정
짓지 마세요!
이상하게
들리는 거
다 알거든요!

결말 직전까진
전형적인 권선징악
스토리예요.
선하고 정의로운
주인공 커플이
악역을 물리치는.
큼큼…
악역인 엘레오노라도
처단하고요…
주인공들은 뭐,
마음을 확인하고
그런… 예, 뭐.
아무튼
그렇습니다.

결말 직전까지는?
그럼 결말은
어떻게 됩니까?
책 속 레니아의
용이 레니아를
납치해서 이계로
떠나버려요.
그걸로
엔딩이에요.

탁…
그렇군요.
생각지도 못했고,
굉장히 불쾌하지만
어쨌든 잘 알겠습니다.

노아 양이 살던
세계에도 참
별사람이 다 있군요.
남의 이름을
가져다가 허무맹랑한
소설을 쓰다니.

칙
칙
…하긴.
저렇게
생각하는 것도
일리 있어.
여긴 누가 상상으로
만든 것 치고는
너무 구체적이고
현실적이니까.
내가 이쪽으로
'이동'해온 것처럼
여기 살던 누군가가
내가 살던 세계로
이동해 소설을 썼다고
생각할 수도 있겠지….
칙
칙

경, 제 진술을 너무
심각하게 생각하진
마세요. 레니아가 진짜
알 도둑인지는
저도 잘 몰라요.
사실 엘레오노라가
죽은 시점부터
그 소설 속 이야기랑은
완전히 달라진
거니까요.

알겠습니다.
참고용으로만
생각하겠습니다.
흠…
…….

그런데 경,
이건 정말 그냥
호기심에 묻는
건데요.
레니아 양에게
정말 다른 마음
품으신 적 없어요?
노아 양.
저는 발테이어 영애를
뵌 적도 없습니다.

에이,
그렇구나.
칙칙,
이번 역은
루나젤 지방의
제1구,
루나젤 역입니다.

수도 테제바로
가시는 승객께서는
이곳에서 환승해
주십시오.
우선 내리죠.
모자를 절대 벗지
마십시오.
아시다시피
아실 남작은
유명인입니다.

아실 남작이라는 게
들통나면 저런
끄나풀이 몇 명이나
달라붙을지 모릅니다.
흠….

경, 더 확실한
방법이 있는데요?
예?

짜잔...
이제 갑시다!

뭡니까,
이게….

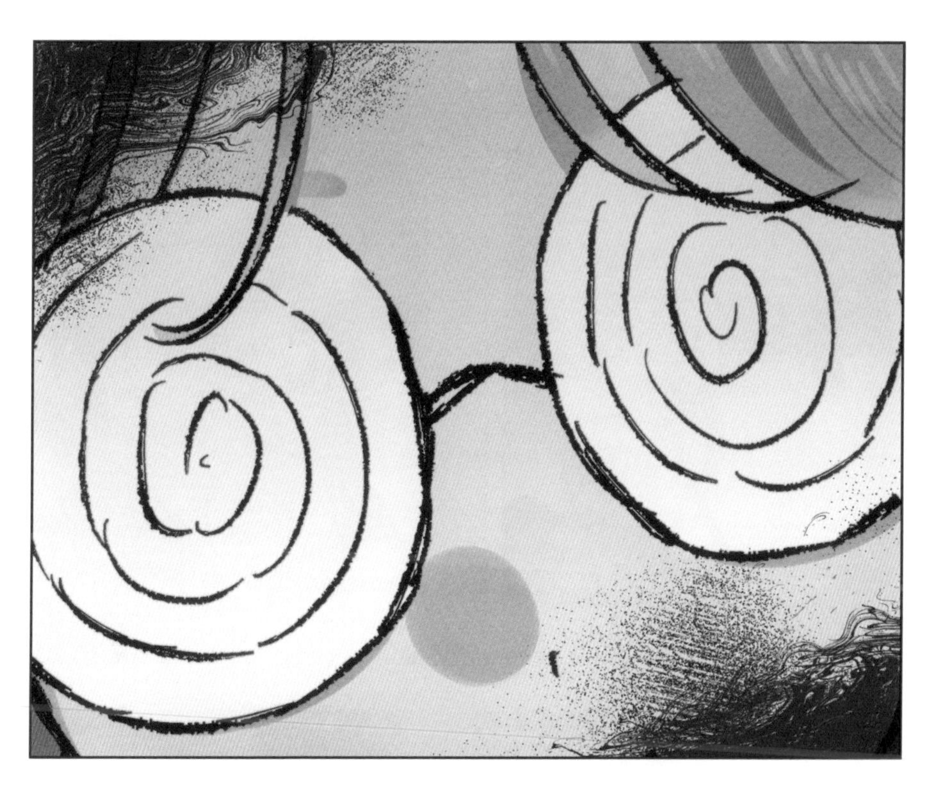

뭐가 좀 보여,
뮤?
어질…
음….

앞에 두 명
있어요.
2시 방향에 한 명,
7시 방향,
10시 방향에
두 명씩.

휙
어?

뚜벅…

뚜벅
뚜벅
뚜벅

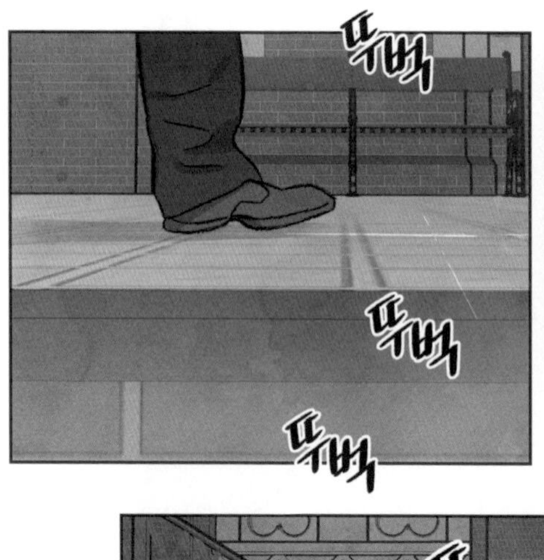
뚜벅
뚜벅
뚜벅

뚜벅
뚜벅

뚜벅

뚜벅
뚜벅
휴….
뚜벅…

두 플랫폼 모두 감시하려는 것 같지?
네. B 앞으로 갔어요.

테제바행 기차는
하나였지만 앞뒤로
기관차가 하나씩
달려 있다.
앞의 여덟 칸과
뒤의 여덟 칸은
목적지가 다르다는
이야기다.

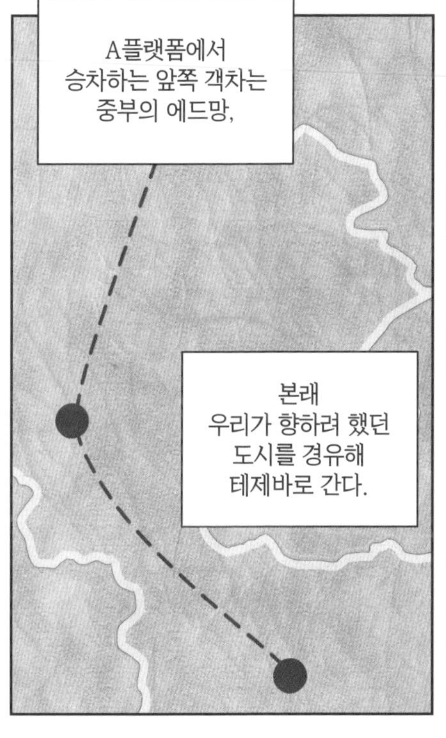
A플랫폼에서
승차하는 앞쪽 객차는
중부의 에드망,
본래
우리가 향하려 했던
도시를 경유해
테제바로 간다.

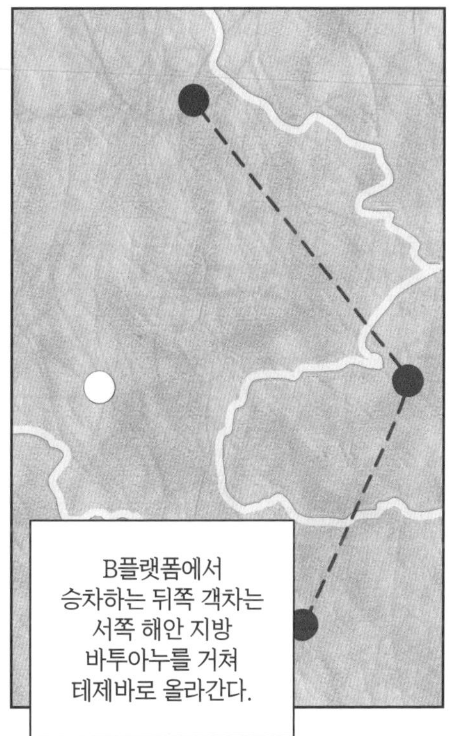
B플랫폼에서
승차하는 뒤쪽 객차는
서쪽 해안 지방
바투아누를 거쳐
테제바로 올라간다.

기차는 처음엔
연결되어 함께
출발하지만,
루나젤과
세잔 지방의
경계에서 분리되어
에드망과 비투아누로
각각 향한다.
힐끔

A플랫폼에는
감시자가 세 명…
B플랫폼에는
두 명인가.

어느 칸을 타든
무조건 두 명
이상은 같이 타게
될 것 같은데?
그냥 루나젤에서
하루 자고 가자고
할까.

뚜벅…
아, 경.

아무래도 저희, 여기서 하룻밤 묵고…
스윽

하루 자고 가봤자 달라지는 건 없을 겁니다.

소곤
치안대에서 보고를 받아보니 바로 어제 붉은 머리카락의 여자가 습격당하는 일이 있었다고 하더군요.
소렌트에서 타지로 가려면 루나젤 역을 반드시 거쳐야 하니 감시의 눈길이 이곳으로 쏠린 모양입니다.
소곤
그럼 어떻게 하려고요?
소곤

따돌려야지요.
스윽
어떻게요?

힐끔

한 개는 에드망행, 나머지는 바투아누행….

동시에 출발하는
기차….
계획은
이렇습니다.

'엘레오노라 아실'이
에드망행 기차에
타는 모습을 저들에게
보여주십시오.
아실 남작을 찾는
사람들이 당신을 따라
에드망행 칸으로
모일 수 있게요.

끄덕
끄덕
당신은
기차에 타자마자
뮤의 마법으로 몸을
투명화하십시오.
쉬운 마법이니
뮤도 할 수
있을 겁니다.
그렇지, 뮤?

감시자들이
전부 에드망 칸에
탑승하면 제가
신호를
보낼 겁니다.
그러면 당신은
곧장 아홉 번째 칸,
바투아누 칸으로
움직이십시오.
간단한
작전이죠.

뮤.
투명 마법은
몇 분 정도
할 수 있지?
음...
30분 정도요.
그 이상은 노아가
힘들 거예요.

30분으로
될까요?
맞춰야죠.
노아 양,
몸 상태는
어떻죠?

괜찮아요.
괜찮아야죠!
좋군요.

그럼
가실까요.
노아 양.
스윽

끄덕...

네!

흑막 용을 키우게 되었다 1

초판 1쇄 인쇄 2023년 11월 7일
초판 1쇄 발행 2023년 11월 24일

글 · 그림 소탄
원작 달슬
펴낸이 정은선

책임편집 이은지
표지 디자인 우물
본문 디자인 (주)디자인프린웍스

펴낸곳 (주)오렌지디
출판등록 제2020-000013호
주소 서울특별시 강남구 선릉로 428
전화 02-6196-0380 **팩스** 02-6499-0323

ISBN 979-11-7095-085-1 07810
979-11-7095-084-4 07810 (set)

www.oranged.co.kr